내 몸 성적표
제대로 알고
대처하기

진성태 지음

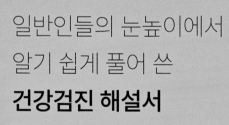

일반인들의 눈높이에서
알기 쉽게 풀어 쓴
건강검진 해설서

대경북스

**내몸 성적표
제대로 알고 대처하기**

초판발행   2018년 11월 15일
초판2쇄   2019년 4월 19일
발 행 인   민유정
발 행 처   대경북스
ISBN   978-89-5676-655-3

이 도서의 국립중앙도서관 출판예정도서목록(CIP)은 서지정보유통지원시스템 홈
페이지(http://seoji.nl.go.kr)와 국가자료종합목록시스템(http://www.nl.go.kr/
kolisnet)에서 이용하실 수 있습니다.
(CIP제어번호 : CIP2018035144)

등록번호 제 1-1003호
서울시 강동구 천중로42길 45(길동 379-15) 2F
전화: (02)485-1988, 485-2586~87 · 팩스: (02)485-1488
e-mail: dkbooks@chol.com · http://www.dkbooks.co.kr

집필 동기와 희망 사항

이 책은 의학적 지식이 별로 없는 일반 시민이 몸에 이상을 느꼈을 때 또는 국민건강보험공단에서 건강검진결과통보서가 나왔을 때 병원에서 받은 각종 의학검사의 내용과 결과를 제대로 알고 적절하게 대처하는 데 도움을 줄 목적으로 저술하였습니다. 저자가 의료인이 아니기 때문에 일반 시민의 눈높이에서 보고, 전문용어가 아닌 일상적인 용어로 설명하였으므로 독자들이 쉽게 이해할 수 있으리라 믿습니다.

이 책을 쓰게 된 동기는 제 아내가 유방암과 폐암 수술을 연달아 받는 몇 개월 동안 병원에서 같이 생활하면서 느낀 점이 많아서 아내가 퇴원한 직후부터 쓰기 시작하였습니다.

간호사들은 꽉 짜여진 일정에다 자신에게 부과된 일을 하기도 바쁘기 때문에 눈치가 보입니다. 거기에 더해서 뭐 하나 부탁하면 의사 선생님에게 물어본 다음에 해주겠다고 합니다. 환자는 언제나 답을 해주나 애타게 기다리지만, 간호사가 놀면서 안 해주는 것도 아니고 자기가 맡은 일을 먼저 하고 있으니 속만 답답할 뿐입니다.

의사는 회진하는 단 몇십 초 동안만 얼굴을 볼 수 있고, 학생들이 죽 따라다니니 물어보기도 쑥스럽습니다. 그래서 "내가 알지 못하면 병원에 입원해 보아야 별 효과가 없겠구나."하는 생각이 들었고, 나만 알 것이 아니라 나와 비슷한 처지에 있는 일반 시민들과 공유하는 편이 더 좋겠다는 판단이 들었기 때문에 과감하게 이 책의 집필에 도전하게 되었습니다. 그렇다고 해서 이 책을 보고 의학검사 결과나 자신의 건강상태를 자의적으로 해석하고 판단하라는 뜻은 결코 아닙니다.

　　이 책의 내용 중에서 '영상검진'과 '의과학적 상식' 부분의 집필은 의료기구를 수입하는 회사에서 고문으로 일할 때 각종 의료기구의 작동 원리와 사용방법 설명서를 만드는 과정에서 얻은 정보들이 많은 도움이 되었습니다.

　　'의학검사' 부분은 우리나라와 일본의 건강검진 관련 서적과 인터넷 등에서 모을 수 있는 데까지 자료를 수집해서 알기 쉽게 정리하였습니다.

　　'해부학적 구조와 기능'과 '식이요법'은 체육 및 보건관련학과 학생들에게 생체역학인간의 움직임을 물리학적 원리와 법칙을 통해서 이해하고 설명하려는 학문을 가르치는 과정에서 자주 접했던 내용들이었습니다.

　　마지막으로 '국민건강보험의 허와 실'은 책의 내용에 포함시켜야 할지 말지 고심하다가 "우리나라의 국민건강보험제도가 세계적으로 손꼽히는 우수한 제도이지만, 그 제도를 바라보는 눈에는 여러 가지 다른 시각도 있을 수 있다."는 것을 알려드리는 정도로 갈음하였습니다.

　　아무쪼록 이 책이 일반 시민들의 건강삶의 질 향상에 조금이라도 도움이 되었으면 좋겠습니다. 마지막으로 이 책이 출간되도록 힘써주신 대경북스 민유정 사장님과 임직원들에게 감사의 말씀을 드립니다.

2018년 11월

저자　진 성 태

차 례

part 01 건강검진

part 02 영상검진

소변검사

part 05 혈액검사

part 06 간기능검사

part 07 심장기능검사

part 10 생식계통검사

part 11 정신건강

건강보험의 허와 실

PART
01

건강검진

우리나라는 생애주기에 따라 건강검진을 무료 또는 아주 저렴한 비용으로 해줍니다. 건강검진을 받고 나면 결과통보서가 집으로 오는데, 결과통보서를 받아 본 많은 사람들은 무엇을 왜 검사했는지, 결과가 무엇을 의미하는지, 심지어 그 결과가 좋은지 나쁜지도 잘 모릅니다. 그리고 의사 선생님이 설명하면 무슨 말인지 잘 모르면서도 되묻기가 그래서 "네! 네!" 하며 넘어가기 일쑤입니다.

그래서 이 책에서는 건강검진 항목별로 무슨 목적으로 한 검사이고, 그 결과가 무엇을 의미하는지에 대해 전문용어를 많이 사용하지 않고 알기 쉬운 말로 설명하려 합니다.

1-1
건강검진에 대하여

건강검진의 목적

건강검진을 하는 목적은 다음과 같습니다.

첫째로 아무런 병증이 없는 일반인을 대상으로 국민건강보험공단에서 정한 몇 가지 질환흔하게 발생하는 질환, 건강에 심각한 영향을 미치는 질환에 걸리지 않았나 검사하기 위해서입니다. 병이 없으면 생활습관의 개선금연·절주, 식이조절, 운동 등을 통해서 병에 대한 저항력을 기르도록 권유합니다. 병이 발견되면 즉시 치료해서 쉽고 빠르게 치유되도록 합니다.

둘째로 병증이 있는 환자를 대상으로 병의 진행경과나 치료효과를 알아보고 적절히 대처하기 위해서입니다.

셋째로 병이 있는데도 증상이 나타나지 않아서 모르고 있는 환자를 발견하기 위해서입니다. 즉 질환을 조기에 발견해서 조기에 치료함으로써 치료효율을 높이고 후유증을 최소한으로 줄이기 위해서입니다.

검사의 종류

검사에는 다음과 같은 종류가 있습니다.

검체검사	몸에서 채취한 혈액, 소변, 대변, 체액, 조직, 세포 등을 분석합니다.
생리기능검사	심전도검사, 간기능검사, 폐기능검사, 뇌파검사 등과 같이 인체의 어떤 장기의 기능을 분석합니다.
내시경검사	작은 카메라를 체내로 밀어넣어 사진을 찍거나 육안 또는 현미경으로 확인합니다. 위 내시경, 대장 내시경, 기관지 내시경, 흉강경, 복강경, 방광경, 관절 내시경 등이 있습니다.
영상진단	조직의 종류에 따라 색깔이나 명암을 다르게 하여 영상화합니다. X-Ray, CT, MRI, PET 촬영, 핵의학검사 등이 있습니다.

건강검진 받을 때 주의사항

고혈압이나 이상지질혈증고지혈증처럼 장기간 요양이나 치료가 필요한 병은 정기적인 검사가 필요합니다. 그러나 여러 번 반복하여 검사하거나, 반대로 1년에 한 번도 검사하지 않는 것은 현명한 대처방법이 아닙니다. 피검자는 자신의 건강상태를 알기 위하여 어떤 검사를 얼마의 간격으로 해야 하는지를 알고 있어야 하며, 건강검진을 받을 때 다음과 같은 점에 유의해야 합니다.

식사와 약

위 내시경이나 복부 초음파검사를 받기 전에는 식사를 하면 안 됩니다. 혈액검사는 식사가 지장이 없는 경우도 있지만, 공복상태에서 검사받는 것이 원칙입니다.

협심증, 심근경색, 뇌경색 등 동맥에서 생기는 혈전^{피떡}에 대응하기 위해서 복용하는 항혈소판약은 내시경검사 5일 전부터 복용하면 안 됩니다. 그 이유는 검사기구를 삽입할 때 점막에 상처를 내서 출혈을 일으키거나, 검사 도중 작은 폴립^{polyp}을 떼어낼 때 출혈이 되면 지혈이 잘 되지 않기 때문입니다. 따라서 건강검진 이전에 평소에 먹던 약을 계속 먹어도 되는지 담당의사에게 물어보아야 합니다.

복장 · 문신

검진 받으러 갈 때는 입고벗기 편리한 복장이 좋습니다. 흉부 X-Ray 사진을 찍을 때 단추가 많이 달린 상의나 X-Ray 사진에 나오는 금속 소재가 섞여 있는 속옷을 입으면 검사실에서 벗고입기가 불편합니다. 목이 긴 부츠를 신으면 심전도검사를 할 수 없고, 귀에 금속 피어싱을 한 채로는 머리 CT나 MRI 검사를 할 수 없습니다.

복장뿐 아니라 문신도 주의해야 합니다. MRI 검사를 할 때에는 반드시

"문신은 없나요?"라고 묻습니다. 그럴 때 무심코 "없다."고 답하는 사람이 대부분이나, 사실 눈썹이나 이마라인 정리 등 영구 메이크업도 일종의 문신입니다. 문신을 할 때 금속안료를 사용하는 경우가 많은데, MRI는 강력한 자기장과 전자파가 나오기 때문에 드물기는 하지만 안료의 금속과 반응해서 화상을 입을 위험성이 있습니다.

이는 전자레인지로 알루미늄을 가열하면 뿌지직뿌지직하면서 불똥이 튀는 현상과 비슷합니다. 발생빈도가 적기는 하지만 얼굴에 화상을 입으면 큰일이니까 영구 메이크업을 한 사람은 미리 말을 해야 합니다.

건강검진 결과 이상치가 나오면

검사 결과에 이상치가 나오면 그 검사가 긴급검사인지, 만약을 위해서 한 검사인지, 정기적으로 하는 검사인지에 따라 판단기준이 달라집니다.

긴급검사였다면 생명이 위험하기 때문에 검사 결과를 기다리지 않고 이미 치료를 개시하였을 것이고, 검사 결과에 따라 치료방침을 수정하게 됩니다.

시간적으로 여유가 있으면 의사는 이상치가 틀림없다는 전제하에 진단합니다. 이때 이상치가 의사의 임상 경험과 차이가 있으면 재검사를 하게 됩니다. 재검사는 즉시 할 수도 있고, 시간을 두고 천천히 할 수도 있습니다.

이상치가 나왔을 때 의사는 검사 결과뿐 아니라 진료에 관한 정보도 최대한 정확히 전달해야 합니다. 의사는 피검자가 알아듣기 쉽게 설명해야 하고, 피검자는 충분히 이해될 때까지 계속 물어보아야 합니다.

1-2
우리나라의 건강검진

국민건강보험공단에서 국민들을 대상으로 생애주기별로 제공하는 건강검진을 요약하면 다음과 같습니다.

 ## 영유아검진과 학생검진

생후 4~71개월까지의 영유아를 대상으로 하는 영유아검진은 총 7차례 합니다. 영유아검진은 모든 영·유아의 건강한 성장을 위해 필수검사, 성장발달 평가, 육아상담, 보호자에게 아기의 성장에 맞는 적절한 건강교육을 제공하는 것을 목적으로 합니다.

만 7세부터 18세까지의 학생을 대상으로 하는 학생검진은 총 4차례 합니다. 이 검진은 학생의 성장발육을 평가하고, 건강을 방해하는 위험인자를 조기에 발견하는 데에 목적이 있습니다.

 ## 일반건강검진

만 19세 이상의 국민을 대상으로 하는 일반건강검진은 고혈압, 당뇨병,

콜레스테롤 등 심·뇌혈관질환의 조기발견과 예방을 목적으로 합니다. 비사무직 직장가입자는 매년 실시하고, 사무직 직장가입자, 지역가입자 및 가입자의 세대원은 생년에 따라 짝수 또는 홀수 해에 격년제로 실시하고 있습니다.

생애전환기 건강검진과 암검진

생애전환기 건강검진은 신체적·사회적으로 큰 변화가 일어나는 만 40세와 만 66세의 국민을 대상으로 하는 건강검진입니다. 만 40세에는 B형 간염검사, 만 66세에는 골밀도검사, 정신건강검사, 생활습관 평가, 의사상담 등 연령별 맞춤검사를 정밀하게 해주고 있습니다.

암검진에서는 의료급여 수급자저소득 국민에게 최소한의 기초생활을 제도적으로 보장해줄 목적으로 생계·교육·의료·주거·자활 등에 필요한 경비를 제공하는 대상자와 저

소득층 건강보험 가입자를 대상으로 5대 암^{위암, 간암, 대장암, 유방암, 자궁경부}

암을 검진해줍니다. 위암은 40세 이상 2년에 한 번, 간암은 40세 이상 고위

험자에 한해 1년에 한 번, 대장암은 50세 이상 1년에 한 번, 유방암은 40세

이상 여성에 한해 2년에 한 번, 자궁경부암은 30세 이상 여성을 대상으로

2년에 한 번 검진을 실시합니다. 검진 결과 암으로 판정된 사람은 암치료

비의 일부를 국가에서 지원해줍니다.

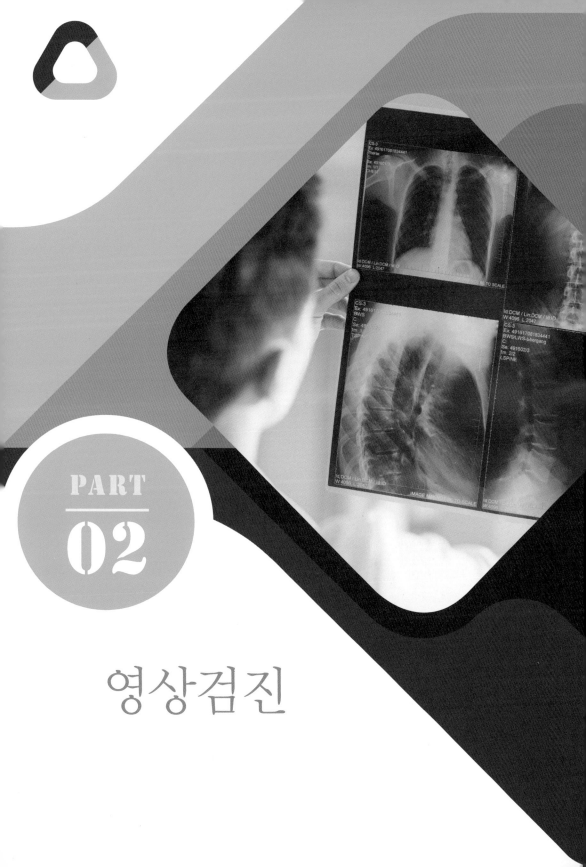

PART
02

영상검진

2-1
내시경검사

　사람의 장기나 체강體腔, 몸속공간 안에 도구를 삽입해서 눈으로 직접 관찰할 수 있도록 만든 장치를 내시경內視鏡, Endoscope이라고 합니다. 다른 영상의학 장비들은 관찰하려는 조직이나 기관에 상처를 내거나 도구를 삽입하지 않고 영상을 얻지만, 내시경은 관찰하려는 기관에 도구를 직접 삽입해서 관찰하므로 좀 더 생생하게 볼 수 있다는 장점이 있습니다.

　내시경은 관찰하려는 기관에 따라 위 내시경, 식도 내시경, 기관지 내시경, 십이지장 내시경, 담·췌관 내시경, 대장 내시경, 방광 내시경, 심장 내시경, 복강 내시경, 흉강 내시경, 종격 내시경, 관절 내시경, 자궁 내시경 등으로 불립니다.

　또한 내시경은 사용하는 도구에 따라 긴 통을 삽입하여 육안으로 직접 볼 수 있는 장통형, 렌즈를 이용하는 렌즈형, 카메라를 삽입하는 카메라형, 유리섬유를 사용하는 섬유형 등으로 분류하기도 합니다.

　내시경검사는 피검자가 깨어 있는 상태에서 검사할 수도 있고, 피검자에게 진정제를 투여해서 이물감을 줄여주는 수면내시경도 할 수 있습니다. 내시경은 단순히 검사의 목적으로만 사용하는 것이 아니라, 이상이 있는 부위가 발견되었을 때 직접 절개하거나, 조직의 일부를 떼어내거나, 지혈을 시키는 등 치료 목적으로 사용하는 경우도 있습니다.

내시경검사를 하려면 사전에 관찰하려는 기관을 깨끗이 비워두어야 합니다. 또 기구를 삽입하기 때문에 감염, 천공구멍이 뚫리는 것, 상처, 출혈이 생길 수 있으며, 진정제 과다 투여로 예기치 못한 부작용을 겪을 수도 있습니다.

최근에는 내시경을 값싸게 만들 수 있는 기술이 개발되어 '1회용 내시경검사'가 가능하게 되었습니다. 1회용 내시경으로 검사하면 피검자 간의 감염과 병원에서의 감염을 획기적으로 줄일 수 있습니다.

이 외에 작은 캡슐 형태로 만들어진 '캡슐내시경'을 삼킨 다음 자석으로 내시경의 위치를 조절하면서 창자 내부를 관찰할 수도 있으며, 다른 영상의학장비와 내시경을 결합시켜 흑백이 아닌 컬러 영상으로 장기를 관찰할 수도 있습니다. 그밖에 3차원 데이터를 얻는다든지 마이크로미터㎛ 단위까지 길이를 정확하게 측정할 수 있는 내시경도 개발되었습니다.

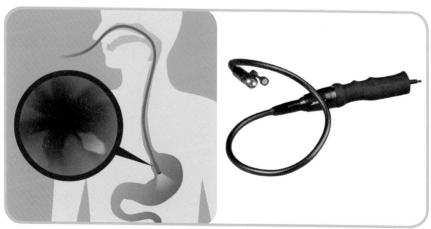

✤ 일반 내시경(왼쪽)과 수술용 내시경(오른쪽)

2-2
X-Ray 사진

너무 작아서 육안으로 구별하기 어려운 것을 보는 기기가 확대경과 현미경이라면, X-Ray 사진은 피부나 근육과 같이 연한 조직으로 덮여 있어서 보이지 않는 '뼈'를 X-Ray라고 하는 특수한 전자파_{p.27 참조}를 이용해서 촬영하는 진단방법입니다.

X-Ray의 원리는 대략 이렇습니다. 필라멘트에서 튀어나온 전자를 가속시켜서 고속으로 이동하게 한 다음 금속판에 충돌시킵니다. 그러면 전자의 속도가 갑자기 줄어들면서 가지고 있던 운동에너지가 전자파로 방출됩니다.

빛은 피부나 나무판자 같은 물질을 잘 투과하지 못하지만, X-Ray는 투과할 수 있습니다. 그러나 X-Ray가 모든 물질을 다 투과할 수 있는 것은 아니고, 투과하는 물질의 밀도에 따라 투과 정도가 다릅니다. 그래서 X-Ray를 인체 조직에 투사하면 조직의 종류와 두께에 따라 흡수 또는 투과되는 비율이 다르기 때문에 흑백사진 같은 화상을 얻을 수 있습니다.

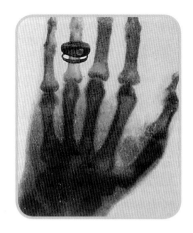

옆에 있는 사진은 뢴트겐이 X-Ray를 처음으로 발견하고 자기 부인의 손을 촬영하여 공개한 사진입니다. 당시에는 옷을 입어도 속살을 훤히 들여다볼 수 있게 될지 모른다고 걱정했지만, X-Ray의 발견으로 의료기술과 비파괴검사 기술이 크게 발달되었습니다.

이렇게 편리한 X-Ray도 다음과 같은 단점이 있습니다.

단점

- 🐚 X-Ray에 많이 노출되면 인체 세포가 돌연변이를 일으킬 수 있습니다. 즉 X-Ray 사진을 너무 많이 촬영하면 몸에 해롭습니다.
- 🐚 촬영 각도에 따라 보고 싶은 부위가 사진에 잘 나올 수도 있고, 나오지 않을 수도 있습니다. 병원에서 X-Ray 촬영할 때 불편한 자세를 취할 수밖에 없는 이유가 여기에 있습니다.
- 🐚 촬영된 X-Ray 사진은 2차원 영상입니다. 종이와 같은 평면에 사진이 나오기 때문에 볼록 튀어나왔거나 움푹 들어간 곳의 높이나 깊이를 정확하게 알 수 없습니다.
- 🐚 투과성이 높은 폐허파나 밀도가 일정한 뼈에서는 병변이 생긴 부위를 쉽게 찾아낼 수 있지만, 힘줄이나 인대와 같이 연한 조직에서는 병변이 생긴 부위를 찾아내기 어렵습니다.

가장 많이 촬영하는 X-Ray는 흉부 사진입니다. X-Ray를 가슴에 쬐면 폐는 잘 투과하지만, 뼈는 투과하기 어렵기 때문에 폐는 밝은 색, 뼈는 어두운 색으로 나옵니다. 만약 폐암이라면 어두운 바탕에 하얀 암덩어리가 있는 사진이 나올 것입니다.

X-Ray 사진이 가장 유용할 때는 골절을 찾아낼 때이고, 바륨^{Barium}같이 X-Ray가 잘 투과하지 못하는 물질^{조영제}을 위나 대장에 가득 채우고 촬영하면 위나 대장에 뚫린 작은 구멍까지 찾아낼 수 있습니다.

X-Ray는 일반촬영, 조영촬영, CT촬영, 핵의학검사 등에 모두 사용됩니다. 또 아래 표와 같이 촬영 방법과 촬영 부위에 따라 방사선 피폭량이 다릅니다. 예를 들어 흉부 X-Ray 촬영의 방사선 피폭량은 0.1밀리시버트^{mSv}, 복부 X-Ray 촬영의 방사선 피폭량은 0.8밀리시버트^{mSv}입니다. 방사선 피폭량이 많아서 좋을 것은 없기 때문에 줄이려고 노력해야 합니다.

❖ 방사선 피폭량

검사 종류	방사선 피폭량^{밀리시버트}
일반방사선 촬영	흉부 0.1 ~ 복부 0.8
조영술^{투시방사선} 촬영	위장관 2.6 ~ 심장혈관 11.2
컴퓨터단층촬영^{CT}	머리 2.4 ~ 복부 12.4
핵의학검사	갑상선스캔 3.75 ~ 심혈관 40.7

전자파

원래 명칭은 전기자기파電氣磁氣波, Electro-Magnetic Wave이고, 줄여서 '전자파'
또는 '전파'라 합니다. 전선에 고주파수의 교류전류가 흐르면 그 주위에 전기장과
자기장이 서로 직각 방향으로 진동하면서 퍼져가는 일종의 파동입니다.

◯ 전자파의 특성

» 처음에는 파장의 길이에 따라서 파장이 '긴 파장파', '중간인 파중파', '짧은
파단파', '아주 짧은 파극초단파'와 같이 이름을 붙였지만, 나중에 빛, X선,
감마선, 우주선 등 다른 이름으로 부르던 것들도 모두 전자파의 일종이
라는 사실을 알게 되었습니다.

» 전자파는 진공 중에서도 전파되는데, 진공 중에서 전자파의 속도는 전자
파의 종류에 관계없이 3×10^8m/s로 일정합니다.

» 과거에는 가시광선만 빛이라고 생각하였으나, 현대에는 적외선과 자외선
도 빛광파에 포함시킵니다.

» 일반적으로 파장이 짧을수록주파수가 높을수록 에너지가 더 많고, 투과력
이 더 세며, 인체에 더 해롭습니다.

28

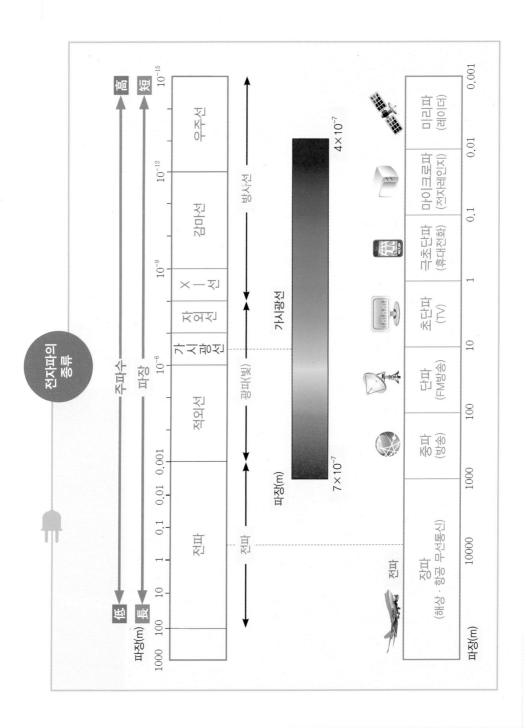

2-3
컴퓨터단층사진^{CT사진}

영어로는 'Computerized Axial Tomography'라 하며, 보통 줄여서 'CT 사진'이라고 합니다.

X-Ray의 단점에서 지적한 바와 같이 보통 카메라나 X-Ray로 촬영하면 2차원 사진이 되기 때문에 인체의 3차원 구조를 정확하게 알 수 없습니다. 그러한 단점을 보완하려고 많은 학자들이 노력한 결과 중 하나가 영국의 하운스필드 교수와 미국의 앨런 코맥 교수가 개발한 '단층화상을 컴퓨터로 재구성하는 방법'입니다.

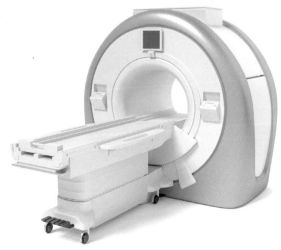

✥ CT 촬영기

이 기술의 원리는 1940년대에도 이론적으로는 알고 있었습니다. 그러나 많은 양의 데이터를 짧은 시간 내에 계산하고 저장해둘 수 있는 방법이 없었기 때문에 실제 영상 촬영에 적용되지 못하다가 컴퓨터와 X-Ray 기술의 획기적인 발달에 힘입어 실생활에 적용되었습니다.

보통 피검자가 누워 있는 침대가 원형 구멍 속을 통과하는 동안에 CT 촬영을 합니다. 원형 구멍 둘레에는 여러 대의 X-Ray 촬영장치가 둥그렇게 배열되어 있습니다.

옆의 그림은 CT사진의 원리를 설명하기 위해서 몸통의 한 단면을 가상해서 그린 그림입니다. A에서 X-Ray를 비추었을 때와 B에서 비추었을 때 흡

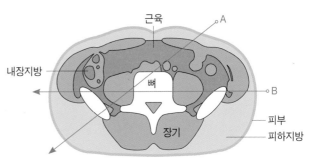

❖ 몸통의 단면 가상도

수율이 다르기 때문에 한 바퀴 돌면서 비춘 데이터를 종합하면 내부의 조직 구조를 알 수 있고, 조직의 종류에 따라 색깔을 다르게 구성하면 단면 사진을 얻을 수 있습니다.

피검자가 원형 구멍을 통과하는 동안 약 2~5mm 간격으로 여러 장의 단면 사진을 촬영해서 저장해두었다가 차례차례 겹쳐 놓으면 인체의 3차원 구조를 정확하게 알 수 있는 3차원 CT사진이 됩니다.

컴퓨터가 없으면 인체의 단면을 투과한 X-Ray 정보를 가지고 한 점

한 점의 밝기를 계산하거나 기억할 수 없을 뿐 아니라, 화면을 다시 구성할 수도 없으므로 반드시 컴퓨터의 도움이 필요합니다. 그리고 반드시 축과 수직인 단면 사진을 촬영하고, 그 단면 사진들을 층층으로 쌓아야 3차원 사진을 얻을 수 있기 때문에 Computerized^{컴퓨터화된} Axial^{축성의} Tomography^{단층사진}이라고 합니다.

즉 CT사진은 수천 장의 X-Ray 단면 사진을 촬영해서 층층이 쌓아둔 결과물입니다. 이렇게 수많은 사진에서 얻은 자료를 이용해서 컴퓨터로 화면을 재구성한 다음, 여러 각도로 돌려가면서 관찰하면 인체의 내부 구조를 정확하게 알 수 있습니다.

CT사진은 다음과 같은 장점과 단점이 있습니다.

장점
- 인체의 내부를 여러 각도로 돌려가면서 관찰할 수 있습니다.
- 원하는 단면^{실제로 촬영한 단면과는 다른 단면} 사진을 컴퓨터로 구성해서 볼 수 있습니다. 그렇기 때문에 다른 조직과 겹쳐서 영상이 선명하지 못한 부위가 거의 없습니다.

단점
- 수백 장의 X-Ray 사진을 한 번에 촬영하기 때문에 X-Ray에 피폭되는 양이 많습니다.
- 피부나 근육과 같은 연한 조직은 영상이 선명하지 못합니다.
- 뼈로 둘러싸인 뇌나 관절강^{관절속공간}은 정확한 영상을 얻기 어렵습니다.

2-4
자기공명영상MRI

영어로 'Magnetic Resonance Imaging'라고 하는 자기공명영상 장치MRI로 촬영할 때에는 초강력 자석으로 둘러싸인 통 속에 피검자를 위치시킵니다. CT는 통의 길이가 짧지만, MRI는 통의 길이가 길어서 피검자의 몸 전체가 통 속에 들어갈 수 있습니다. 침대에 붙어 있는 작은 덮개 속에는 코일이 들어 있는데, 거기에서 강력하고 주파수가 높은 전파고주파를 발사합니다.

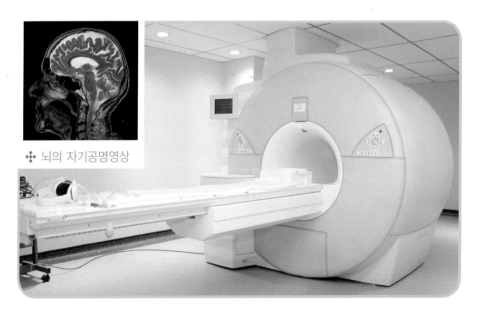

❖ 뇌의 자기공명영상

❖ MRI 촬영기

인체에는 물이 포함되어 있지 않은 조직이 없고, 물분자는 1개의 산소원자와 2개의 수소원자가 결합되어 있습니다. 산소원자가 농구공만 하다면 수소원자는 야구공만 합니다. 농구공 1개에 야구공 2개가 붙어 있는 그림을 상상해 보십시오.

이때 2개의 수소원자는 180도 반대쪽에 붙어 있는 것이 아니고, 약 130도를 이루고 있습니다. 즉 수소원자가 한 쪽에 몰려 있는 형상이기 때문에 수소원자가 비어 있는 부분은 -, 몰려 있는 부분은 +의 성질을 갖습니다.

그렇게 부분적으로 + 또는 -를 띄고 있는 물분자가 강력한 자기장 안에 들어가면 물분자의 수소원자들이 자석의 방향으로 정렬됩니다. 거기에 자기장과 수직방향으로 진동하는 고주파를 흘려보내면 수소원자들이 고주파를 흡수하면서 진동합니다. 그때 갑자기 고주파를 끊어버리면 수소원자들이 흡수했던 고주파 에너지를 방출하면서 제자리로 돌아가는데, 이러한 현상을 '핵자기공명'이라 합니다.

핵자기공명이 일어날 때 고주파가 방출된 위치와 특성을 컴퓨터로 추적한 다음, CT기술을 적용하여 인체의 단면 모양을 컴퓨터로 구성한 것이 MRI입니다. 다시 말해서 몸속에 들어 있는 물분자의 위치와 특성을 가지고 인체 내부 구조를 화면으로 구성한 것이 MRI입니다.

촬영 중에는 몸을 움직이면 안 됩니다. 보청기, 틀니, 머리핀, 벨트, 시계, 열쇠, 지갑, 카드, 휴대전화기 등은 강력한 자석 때문에 이상이 생길 수 있으므로 휴대해서는 안 됩니다. 심장박동기나 신경자극기를 시술받은 사람과 달팽이관을 이식받은 사람은 그 장치들이 작동을 멈추어버릴 수 있으므로 촬영해서는 안 됩니다. 금속안료로 문신을 한 사람은 화상을 입을 수 있으므로 의사에게 미리 말해야 합니다.

다음은 MRI의 장점과 단점입니다.

장점

- 근육, 인대, 연골, 혈관, 신경, 뇌 등 연조직을 촬영해도 대조도가 높은 영상을 얻을 수 있습니다.
- 방사선을 이용하지 않으므로 해롭지 않습니다. 임산부와 태아의 진단에도 이용할 수 있습니다.
- 환자의 자세 변화없이 인체의 횡단면, 원통형 단면, 원뿔형 단면도 촬영할 수 있습니다.
- 해상도가 뛰어나므로 조영제p.37 참조를 주사하지 않고도 공기나 뼈로 둘러싸인 부위의 대조도가 뛰어난 영상을 얻을 수 있습니다.

단점

- 촬영시간이 길어서 심장과 같이 움직이는 장기와 어린이를 진단할 때 이용하기 어렵습니다.
- 비용이 많이 들고, 시끄럽습니다.

━━━━━━━━━━━━━━━ 샛길 지식

대조도

X-Ray, CT, MRI, MRA, 초음파 등에서 나오는 사진은 거의 모두 흑백사진입니다. 따라서 사진에 나온 물체의 밝은 부분과 어두운 부분의 차이를 보고 물체를 식별합니다. 이때 사진에 나타난 명암의 차이를 사진의 '대조도對照度, contrast'라 하고, 대조도가 높을수록 사진에 나온 물체를 분명하게 구별할 수 있습니다.

MRI와 CT 중 어떤 것으로 진단하시겠습니까?

원칙적으로 담당의사의 판단, 해당 병원의 사정, 환자의 경제적 부담능력 등에 달려 있습니다.

다음은 일반적인 견해입니다.

☞ MRI는 뇌신경계 질환, 폐쇄성 뇌혈관 병변, 척추강 내부의 연조직 질환, 근육과 관절 질환, 혈관 질환 등의 진단에 유용합니다.

☞ 급성 외상이나 골절, 병변 내의 석회화 등의 발견에는 CT가 좋습니다.

☞ 흉부와 복부의 질환폐암, 폐의 염증성 질환, 기관지 질환, 간암과 담도암, 위암, 췌장암, 신장과 부신질환, 부인암 등은 CT를 이용해서 진단합니다.

☞ 머리와 척추 부위는 MRI로 진단합니다.

─────────── ■ 샛길 지식

해상도解像度

사진이나 TV화면에 있는 그림 또는 물체가 "얼마나 작은 부분까지 섬세하게 나오느냐?"하는 정도를 '해상도resolution' 또는 '분해능'이라고 합니다.

TV나 스마트폰 화면의 해상도는 "길이 1인치 안에 있는 화소의 개수pixels per inch : ppi"로 나타냅니다. 예를 들어 HDTV는 가로 1920ppi, 세로 1080ppi로 화면을 구성합니다.

사람의 망막에는 화소 대신 막대세포가 약 200만 개, 원추세포가 약 600만 개가 있는데, 그것을 해상도로 환산하면 약 300ppi가 됩니다. 즉 HDTV 화면이 인간의 눈보다 해상도가 더 높습니다.

2-5
자기공명혈관조영술^{MRA}

MRA는 'Magnetic Resonance Angiography'의 약자입니다. 앞에서 설명한 MRI와 똑같은 기계로 촬영하지만, 다른 부위는 사진에 나오지 않고 혈관만 나오게 촬영하는 것이 MRA입니다.

MRI를 촬영하면 혈관 안에 있는 혈액이 이동하기 때문에 혈관은 거의 사진에 나오지 않고 근육 · 인대 · 암과 같은 조직만 사진에 나옵니다.

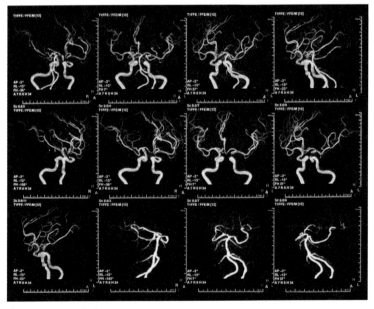

❖ 뇌의 MRA 사진

그런데 뇌에 있는 혈관에 이상이 생기면 뇌출혈이나 뇌경색 같이 생명을 직접적으로 위협하는 질환이 생기기 때문에 뇌혈관이상을 조기에 발견하기 위한 검사 중의 하나가 MRA 조영술입니다.

MRA 사진을 보면 혈관의 기형이나 막힌 부분^{동맥류}을 쉽게 판별할 수 있습니다. 그런데 MRA는 MRI와 함께 촬영하기 때문에 비용이 더 많이 드는 단점이 있습니다. 조영제라는 약물을 투여하고 검사하는 경우와 그렇지 않은 경우가 있습니다.

조영제   샛길 지식

사진의 대조도를 높일 목적으로 X-Ray, CT, MRI, MRA, 초음파 등을 촬영하기 직전에 환자에게 투여하는 약물을 '조영제'라고 합니다. 촬영하는 장비와 어떤 조직의 영상을 선명하게 만들고 싶은지에 따라 다른 종류의 조영제를 투여합니다.

조영제에 들어 있는 요오드, 바륨, 가돌리늄 등은 인체에 이로울 리가 없습니다. 환자에 따라 두드러기와 같은 과민반응을 보이거나 신장에 부작용을 초래하기도 하므로 주의해야 합니다.

2-6
초음파검사

영어로는 'Ultrasonic Computer Tomography'라고 합니다. 사람은 20~20,000Hz^{헤르츠}의 음파를 귀로 들을 수 있는데, 이를 '가청음파'라 하고, 그보다 주파수가 더 높은 음파를 '초음파'라고 합니다.

보통 초음파검사에는 3.5~5MHz의 초음파가 사용됩니다. 인체 내부로 들어간 초음파가 장기나 암을 만나면 물체의 크기 · 모양 · 조직의 종류에

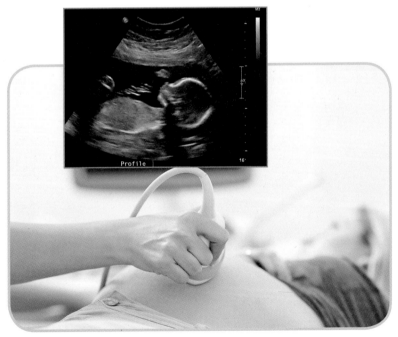

❖ 초음파검사

따라 반사되는 양이 달라지는 원리를 이용해서 장기의 상태를 진단하는 방법이 초음파검사입니다.

초음파는 가청음파보다 주파수가 훨씬 더 높기 때문에 다음과 같은 특성이 있습니다.

- ☞ 직선으로 나가는 직진성이 있습니다.
- ☞ 정지해 있는 물체에 부딪치면 메아리처럼 같은 주파수의 반사파가 되돌아옵니다.
- ☞ 움직이는 물체에 부딪치면 주파수가 변한 반사파가 되돌아옵니다.
- ☞ 물과 금속은 잘 통과하나, 공기·지방·뼈 등은 잘 투과하지 못합니다.

탐촉자probe, 앞의 사진에서 손에 들고 있는 것에서 초음파를 발사하여 되돌아오는 반사파를 흡수한 후 컴퓨터를 이용해서 다음과 같은 방법으로 분석합니다.

- ☞ 간·위·췌장·담낭 등에 초음파를 발사해서 발사파와 반사파 사이의 시간 차이로 거리를 알아내고, 반사파의 세기로 물질의 종류를 알아내서 탐촉자 밑에 있는 장기의 모양을 눈으로 볼 수 있게 컴퓨터 화면으로 구성합니다. 이것을 보통 '복부 초음파검사'라 하는데, 간·위·췌장·담낭 등의 구조를 눈으로 직접 관찰할 수 있습니다.
- ☞ 혈관 조영제를 투여한 피검자의 간이나 신장콩팥에 초음파를 발사한 다음 발사파와 반사파의 주파수 차이를 분석해서 혈류의 속도를 알아

냅니다. 이것을 보통 '도플러 초음파검사'라 하는데, 간이나 신장 안에 있는 혈관의 수축·팽창·폐쇄 등 여러 가지 혈관성 병변을 알아낼 수 있습니다.

☞ 초음파를 장기에 발사한 다음 반사파의 세기와 방향에 관련된 데이터를 CT 촬영기술에 적용하여 원하는 단면 사진을 만들어서 관찰합니다. 이것을 보통 '초음파 CT'라 하는데, X-Ray의 피폭없이 장기의 단면을 눈으로 볼 수 있습니다.

초음파검사는 대부분 복부에 있는 장기를 검사할 때 이용합니다. 복부에 젤리를 발라서 피부와 탐촉자 사이에 공기가 들어가지 못하도록 차단하고, 탐촉자를 복부에 밀착시킨 상태로 이리저리 옮겨가면서 컴퓨터 화면에 나오는 것을 관찰합니다.

검사시간은 약 15분이고, 검사하려는 장기와 그 주변 장기에 음식물이나 공기가 들어 있지 않도록 깨끗이 비워야 선명한 영상을 얻을 수 있으므로 금식해야 합니다.

방광에 공기가 들어 있으면 방광은 물론이고 그 뒤에 있는 장기도 잘 보이지 않으므로 필요한 경우 물을 마시고 소변을 참아서 방광을 물_{소변}로 채워야 합니다.

검사 당일 위 내시경검사, 대장검사, 소변검사 등을 같이 할 경우에는 초음파검사를 가장 먼저 합니다.

다음은 초음파검사의 장점과 단점입니다.

장점

☙ 방사능에 노출될 위험이 전혀 없고 비용이 저렴하기 때문에 가볍게 시행할 수 있습니다.

☙ 신체 표면에서 피부를 통해 관찰할 수 있고, 몇 번이고 반복해서 검사할 수 있습니다.

☙ 복부 초음파는 복부에 있는 간, 췌장, 비장, 신장, 담낭^{쓸개}, 방광 등을 검사할 때 우선적으로 사용하는 수단입니다.

☙ X-Ray를 사용하는 컴퓨터단층^{CT}촬영처럼 정밀한 단층사진을 얻을 수는 없지만, 인체에 해롭지 않기 때문에 임산부나 태아를 진단하는 데에는 아주 좋습니다.

☙ 난소, 자궁, 방광, 전립선^{전립샘} 등과 같이 피부에서 멀리 떨어져 있거나 뼈로 가려져 있는 장기는 항문·요도·질을 통해서 탐촉자를 몸속으로 밀어 넣은 다음 초음파검사를 할 수도 있습니다. 그러한 검사를 '내진^질 초음파검사' 또는 '항문 초음파검사'라고 합니다.

☙ 잠수함의 탐지장치 또는 어군탐지기를 발전시킨 것이 초음파 진단장비이지만, 요즈음에는 신장결석을 파쇄하는 용도로도 사용합니다.

☙ 초음파를 만들어내는 장치를 소형화해서 여러 대를 동시에 사용하면 화질을 향상시킬 수 있습니다.

단점

☙ 공기·지방·뼈 등을 잘 투과하지 못하는 특성이 있기 때문에 뼈가 가로막고 있거나, 장기 안에 공기가 들어 있거나, 비만환자처럼 두꺼운 지방층이 피부 밑에 있으면 좋은 영상을 얻을 수 없습니다.

☙ 머리 부위는 초음파로 검사할 수 없습니다.

☙ 초음파를 투사하는 방향에 따라 영상이 크게 달라집니다.

2-7
양전자방출단층촬영 PET-CT

Positron-Emitting Tomography의 약어가 PET입니다. 보통 양전자 컴퓨터 단층촬영 장치와 X-Ray 컴퓨터 단층촬영 장치를 하나의 거치대에 갖추어 놓고 동시에 촬영하기 때문에 'PET-CT'라고 합니다. CT, MRI, 초음파 사진은 우리 몸의 해부학적 이상을 찾아서 진단하지만, PET-CT는 신진대사의 이상을 찾아내어 진단한다는 점에서 획기적인 변화라고 할 수 있습니다.

글루코스^{포도당 또는 탄수화물}에 양전자를 방출하는 방사성 물질을 결합시킨 것을 'FDG'라고 합니다. FDG^{Fludeoxyglucose : 불소로 산화시킨 글루코스라는 뜻}를 정맥에 주사한 다음 어느 정도 시간이 지나면 FDG가 온몸으로 퍼지는

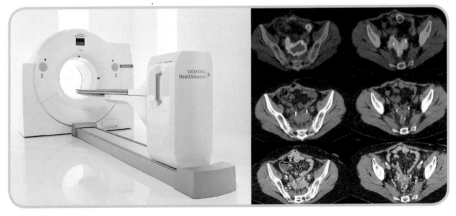

✣ PET-CT 촬영기

데, 그때 FDG가 많이 축적되어 있는 위치를 찾아냅니다.

"FDG가 많이 축적되었다."는 그 부위가 "다른 부위보다 포도당을 많이 소모한다." 또는 "그 부위에서 신진대사가 비정상적으로 활발하게 일어난다."는 뜻이므로, "거기에 암세포가 있다."는 뜻입니다. FDG는 방사선 물질이므로 양전자를 방출하면 곧 주위에 있는 음전자와 충돌해서 감마선을 방출합니다. 이 감마선이 많이 방출되는 곳사진에서 밝은 곳만 찾으면 거기가 바로 암세포가 있는 부위입니다.

암을 비롯한 대부분의 질환은 구조적인해부학적 변화가 오기 전에 대사 변화가 먼저 발생합니다. 이러한 대사 변화를 찾아내는 PET-CT는 다른 검사에 비해 초기에 암을 찾아낼 수 있다는 것이 가장 큰 장점입니다. 현재까지 알려진 암 진단방법 중에서 가장 초기에 암을 찾아내는 검사방법으로 알려져 있습니다.

그러나 PET-CT사진은 정상인 부분은 어둡게 나오고, 암이 있는 부위만 밝게 나오기 때문에 암이 있는 부위를 정확하게 식별하기 어렵다는 단점이 있습니다. 그래서 X-Ray를 사용하는 컴퓨터단층CT촬영을 동시에 해서 두 장의 사진을 겹쳐놓고 보아야 암이 있는 부위를 정확하게 알 수 있습니다. 두 가지를 한꺼번에 촬영하기 때문에 비용이 많이 들 뿐 아니라 방사성 물질과 X-Ray에 동시에 노출되는 단점이 생깁니다.

PET-CT 촬영에서 가장 어려운 점은 FDG를 만들고, 운반하고, 보관하는 것입니다. FDG를 만들기 위해서는 사이클로트론cyclotron이라고 하는 입자전자 또는 양성자 가속장치가 있어야 하는데, 그 장치는 값이 비쌀 뿐 아니라 운영비도 많이 들어서 전문기관이 아니면 갖추기 어렵습니다. 게다가 FDG는 방사성 물질이기 때문에 취급과 운반이 어렵고, 반감기가 약 120분밖에 안 됩니다.

그러므로 FDG를 제조해서 병원으로 옮긴 다음 피검자에게 투약하여 약이 온몸에 퍼질 때까지 기다렸다가 촬영을 끝내는 모든 일을 120분 안에 마쳐야 합니다.

다음은 PET-CT 촬영 시의 주의사항입니다.

☺ 검사 전 6시간 이상 금식하면서 물을 충분히 마셔야 합니다.

☺ 검사 전날에는 과도한 운동이나 힘든 일을 해서는 안 됩니다.

☺ 검사 당일은 약물 주사 후 1시간가량 조용히 쉬어야 합니다. 촬영시간이 20분 정도이므로 총 1시간 30분 정도 걸립니다.

다음은 PET-CT의 장점과 단점입니다.

장점

☺ PET-CT는 암의 조기진단뿐 아니라 동시에 발생한 다른 암을 발견할 수도 있습니다.
☺ 악성 암과 양성 암의 감별, 암이 몇 기인지 결정할 때, 재발 암의 발견에 탁월하게 좋습니다.
☺ 암 치료의 경과 관찰과 예후 예측에도 활용할 수 있습니다.
☺ 부작용을 일으킬 수 있는 조영제를 사용하지 않습니다.

단점

☺ 촬영비용이 비쌉니다.
☺ FDG의 반감기가 짧아서 120분 안에 모든 촬영을 마쳐야 합니다.

반감기|T½

어떤 물질을 내버려두었을 때 방사선을 방출하면서 다른 물질로 변하는 물질을 '방사성 물질'이라고 합니다. 방사성 물질은 자연에 존재하는 것보다는 인공적으로 만든 것이 더 많습니다.

그리고 방사성 물질이 많으면 방사선도 많이 나오고 다른 물질로 변하는 양도 많습니다. 반대로 방사성 물질의 양이 줄어들수록 다른 물질로 변하는 양도 감소합니다. 결국 한번 만들어진 방사성 물질은 완전히 없어질 수 없습니다.

방사성 물질이 원래 있던 양의 절반이 될 때까지의 시간을 '반감기'라 합니다. 반감기는 그 방사성 물질의 안정성을 나타내는 지표로 쓰입니다. 예를 들어 반감기가 2시간인 FDG 100그램을 환자에게 주사했다고 하면 2시간 후에는 50그램, 4시간 후에는 25그램밖에 남아 있지 않기 때문에 촬영하기 어렵습니다.

만일 반감기가 훨씬 더 긴 물질이 발견되면 병원에서 많은 양을 저장해 놓고 사용할 수 있기 때문에 PET 비용이 아주 저렴해질 수 있습니다. 그러나 반감기가 긴 물질은 몸속에 오래 남아서 방사선을 계속 방출한다는 단점도 생깁니다.

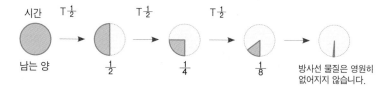

시간 T½ T½ T½

남는 양 $\frac{1}{2}$ $\frac{1}{4}$ $\frac{1}{8}$ 방사선 물질은 영원히 없어지지 않습니다.

PART

03

체위검사

3-1
비만도검사

신장에 비하여 체중이 너무 무거운지 아니면 너무 가벼운지를 판단하는 기준으로 비만도와 체질량지수를 사용합니다.

구분	야위었다	정 상	주의		비만			
비만도(%)	100 미만	110 미만	119 미만		120 이상			
체질량지수	18.5 미만	25 미만	비만 1	비만 2	비만 3	비만 4		
			30 미만	35 미만	40 미만	40 이상		

신장, 체중, 혈압, 체온, 맥박 등을 측정해서 평균치와 비교해보는 것을 '체위검사'라고 합니다. 형식적인 측정이라고 가볍게 생각하는 사람들이 많지만, 건강검진에서 가장 기본적인 자료가 됩니다.

신장과 체중은 크기와 무게 자체가 중요한 게 아니라 신장에 비해서 체중이 많이 나가느냐 또는 적게 나가느냐를 판단하는 것이 중요합니다. 가장 확실하게 판단하는 방법은 "공기 중에서 측정한 체중과 물속에서 측정한 체중을 비교해서 자신의 체중 중에서 지방이 차지하는 양과 지방을 제외한 뼈·살·피부·혈액 등이 차지하는 양"을 알아낸 다음 지방이 차지하는 비율이 높으면 '뚱뚱하다^{비만이다}', 낮으면 '말랐다^{야위었다}'고 판단합니다.

그러나 물속에서 체중을 측정하는 것이 그렇게 쉬운 일이 아닙니다. 시설·비용·시간도 문제지만, 숨을 얼마만큼 내쉬었느냐에 따라서도 수중체중이 달라지기 때문입니다.

그래서 쉽게 계산해서 비슷한 수치가 나오는 방법이 없는지 여러 학자들이 연구한 결과 중에서 가장 그럴 듯하다고 결론을 내린 방법 중 하나가 다음의 식으로 계산해서 비만도가 110% 미만이면 '정상', 119% 미만이면 '주의', 120% 이상이면 '비만'이라고 판정하는 것입니다.

$$비만도(\%) = \frac{체중(kg)}{(신장(cm)-100) \times 0.9} \times 100$$

그러나 이 수치도 어디까지나 추정치일 뿐이고, 어린 아기, 노인, 성인 여성 등은 판단기준에 약간의 차이가 있을 수 있습니다.

이 외에 다음의 식으로 체질량지수^{Body Mass Index : BMI}를 계산해서 판정하기도 합니다^{p.48 표 참조}.

$$체질량지수(BMI) = \frac{체중(kg)}{신장(m) \times 신장(m)}$$

체중의 증가와 감소

비만은 보통 영양분의 섭취량이 소비량보다 많기 때문에 체내에 에너지가 저장되는 현상입니다. 그러므로 섭취하는 열량을 줄이는 것이 다이어트의 가장 근본적인 대책입니다.

그러나 다음과 같은 경우에는 병 때문에 체중이 불어나게 됩니다.

☻ 쿠싱증후군Cushing's syndrome : 부신피질에서 당질 코르티코이드^{당질을 저장} 하거나 합성하는 것을 돕는 호르몬가 과다하게 분비되는 병입니다. 뇌하수체에 종양이 생겼거나 부신피질에 종양이 생긴 것이 원인입니다. 얼굴과 몸통에는 살이 찌고 팔다리는 오히려 마릅니다.

☻ 갑상선기능저하증Hypothyroidism : 우리 몸의 면역세포가 우리 몸의 갑상선을 공격해서 갑상선호르몬의 분비가 잘 안 되기 때문에 생기는 병입니다. 조금만 먹어도 살이 찌고 탈모, 빈혈, 만성피로 등의 증상을 보입니다.

체중이 6개월 동안에 5kg 또는 체중의 5% 이상 빠지면 병에 걸리지 않았는지 의심해 보아야 합니다.

체중이 감소하는 가장 큰 원인은 암입니다. 암세포는 정상세포보다 증식력이 아주 강하기 때문에 암세포가 정상세포가 써야 할 에너지를 빼앗아가버려서 점점 야위는 것입니다. 암 이외에 갑상선기능항진증, 당뇨, 만성 간염, 인슐린종, 에이즈, 폐결핵 등도 체중을 감소시킵니다.

3-2
체온측정

건강한 일반 성인의 겨드랑이 밑 체온을 측정하면 36.6~37.2℃입니다. 젖먹이는 열을 활발하게 생산하지만 체온조절 기능이 미숙하기 때문에 체온이 성인보다 약간 높은 경향이 있고, 노인은 열생산 능력이 약하고 체온조절 기능도 낮아졌기 때문에 일반 성인보다 체온이 약간 낮습니다.

체온이 '높다' 또는 '낮다'를 엄밀하게 정의하기는 어렵지만, 보통 37℃ 대를 '미열', 39℃ 이상을 '고열', 그 중간을 '경輕도 발열'과 '중中도 발열'이라고 합니다. 그렇다고 해서 체온이 37.1℃이면 미열인가? 아닌가?를 따지는 것은 무의미하고, 본인이 평소보다 체온이 약간 높다고 느껴지면 '미열'이라고 합니다.

미열이 있으면 감기나 급성 편도선염이 생긴 경우가 많습니다. 그밖에 폐렴, 급성 간염, 급성 맹장염, 급성 담도염, 급성 신우신염, 세균성 수막염, 급성 백혈병 등이 있을 수 있지만, 그때는 열만 나는 것이 아니라 다른 증상도 같이 나타납니다.

체온은 '신체의 컨디션과 면역력을 나타내는 지표'라고 생각해도 됩니다. 체온이 내려가면 면역력은 저하되고 바이러스는 더욱 더 왕성하게 활동하기 때문에 옷을 얇게 입으면 감기에 쉽게 걸립니다.

3-3
시력검사

　어떤 사람의 눈이 좋은지 나쁜지는 "얼마나 작은 글씨도 읽을 수 있는지_{가시력}"로 알아볼 수도 있고, "얼마나 작은 틈새까지도 벌어졌다는 것을 알 수 있는지_{분리력}"로 알아볼 수도 있습니다. 우리나라의 건강검진에서는 시각으로 시력을 정하기 때문에_{p.54 시표 참조} 분리력으로 '시력'을 측정한다고 볼 수 있습니다.

　1909년 유럽국제안과학회에서 란돌트고리_{한쪽이 끊어진 원형의 고리}를 보고 끊어진 방향을 가리키도록 해서 시력을 측정하는 검사법이 표준 시력검사 방법으로 인정받았습니다. 그래서 시력검사를 하는 시력표에는 글자, 숫자, 그림, 란돌트고리 등이 들어 있어서 글자를 모르는 문맹자나 어린이도 시력 측정이 가능합니다.

　시력이 아주 나빠서 0.1줄도 못 읽으면 맞출 수 있을 때까지 앞으로 다가가게 합니다. 이 경우 시력은 다음 공식으로 계산합니다.

$$시력 = 0.1 \times \frac{읽은거리(m)}{4}$$

예를 들어 2m 거리에서 0.1 줄을 읽었다면 그 사람의 시력은 0.1 × (2/4) = 0.05입니다.

시력표에 2.0까지 있는 이유는 가장 눈이 좋은 사람의 시력이 2.0이어서가 아니라, 시력검사의 목적이 눈이 나쁜 사람을 찾아내서 적절한 처치를 하는 데에 있기 때문입니다.

시력을 나타내는 숫자를 '시력을 나타내는 지표'라는 의미에서 시표라고 합니다. 우리나라에서 사용하는 시표 1.0은 아래 그림처럼 6m 거리에서 란돌트고리의 떨어진 부분을 보았을 때 시각이 1분이라는 뜻입니다.

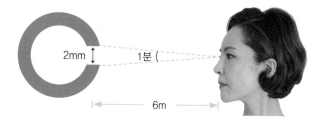

시표視標

앞p.53의 그림에 있는 란돌트고리보다 더 좁은 간격을 분별할 수 있다면 시력이 1.0보다 더 좋은 것입니다. 그러므로 시력은

$$시력 = \frac{1}{시각(분)}$$

로 계산합니다.

예를 들어 란돌트고리의 떨어진 부분의 시각이 0.5분인 것을 분별할 수 있다면 시력이 2.0이고, 4분인 것밖에 분별하지 못한다면 시력이 0.25입니다.

우리나라에서는 '한천석 시력표'와 '진용한 시력표'가 표준 시력표로 사용되고 있습니다.

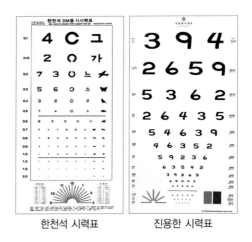

한천석 시력표   진용한 시력표

참고 : 각도를 나타낼 때 '도' 이하는 '분'과 '초'로 나타내고, 시간처럼 1도를 60분, 1분을 60초라고 합니다. 1분은 30cm 거리에서 0.1mm 크기의 물체를 보는 시각 또는 6m 거리에서 2mm 크기의 물체를 보는 시각과 같습니다.

3-4
안저검사와 안압검사

안저검사는 한마디로 눈의 바닥^{망막}을 들여다보는 검사입니다. 그러기 위해서 눈에 약을 넣어 동공을 확대시킨 후에 검안경^{눈을 검사하는 거울}을 통해서 환자의 눈 속을 들여다 보거나 사진을 찍습니다. 이것으로 눈 속에 있는 안저혈관, 유리체, 망막, 시신경유두, 황반 등을 관찰할 수 있습니다.

안저검사는 동공을 확대시키고, 눈 속에 강한 빛을 비추면서 검사하기 때문에 검사가 끝난 다음에 일시적으로 잘 안 보일 수도 있지만 곧 회복됩니다.

안저검사로 망막박리, 안저출혈, 녹내장, 고혈압/당뇨성 망막증, 황반변성, 망막혈관경화증 등을 찾아낼 수 있습니다.

한편 안구를 밖에서 누른 다음 안구가 튀어나오는 힘을 측정하는 검사를 안압검사라고 합니다. 안압에 이상이 있으면 녹내장, 망막박리, 맥락막박리, 홍체모양체염 등을 의심할 수 있습니다.

백내장과 녹내장

백내장은 수정체가 투명성을 잃은 질환으로, 젖빛 유리창을 통해서 밖을 내다보는 듯한 증상이 일어납니다. 젖빛 유리는 난반사를 하기 때문에 눈 앞이 뿌옇습니다. 그리고 밤에 운전을 하면 반대쪽에서 오는 차의 라이트 때문에 눈이 부셔서 잘 보이지 않고, 달이 2개로 보이는 현상이 나타납니다.

녹내장은 안구의 수압이 올라가서 시신경을 압박하는 질환으로, 실명할 위험성을 안고 있는 병증입니다. 시야가 좁아지기 때문에 자동차를 운전하거나 산보를 하다가 기둥에 부딪치거나, 계단에서 발을 헛디뎌서 넘어지는 일이 자주 생기는 위험한 병입니다.

백내장은 수술해서 시력을 되찾을 수 있지만, 녹내장은 원상회복이 잘 안 됩니다.

| 건강한 눈 | 백내장 | 녹내장 |

눈의 구조와 기능

건강검진에서 시력에 이상이 있으면 재검진을 받으라고 합니다. 그때 눈의 구조와 기능을 어느 정도 알고 있어야 의사 선생님의 말을 빨리 알아 들을 수 있습니다.

사람의 눈을 보았을 때 보이는 부분은 눈의 아주 일부분에 불과합니다. 안구는 공막, 맥락막, 망막의 3개 층으로 되어 있습니다.

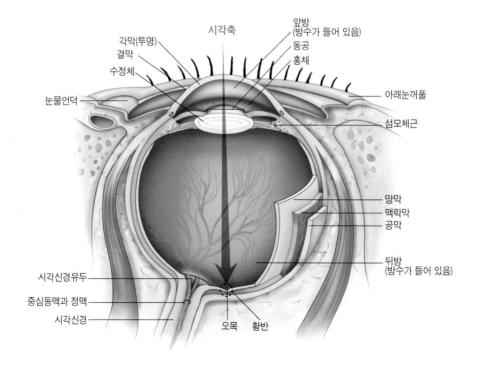

❖ 왼쪽 안구의 수평 단면도(위에서 본 그림)

눈의 세 가지 막

공막

공막Sclera, 흰자위막은 각막을 제외한 안구의 대부분을 싸고 있는 흰색의 질긴 섬유조직을 말합니다. 공막 앞 표면의 일부를 '눈의 흰자'라 하고, 나머지 부분을 각막Cornea이라고 합니다.

각막에는 혈관과 림프관이 없기 때문에 투명하게 보입니다. 각막의 염증을 '각막염'이라 합니다. 각막은 모양이 조금만 달라져도 망막에 상을 맺는 능력이 크게 변합니다. 때문에 사람들이 각막성형수술을 받아서 여러 가지 시각 문제를 해결하려고 합니다. 눈을 언뜻 보았을 때 각막이 투명하지 않고 파랑색, 갈색, 회색, 초록색 등으로 보이는 이유는 각막이 색깔이 있는 홍채 위에 있기 때문입니다.

결막은 각막을 덮어 싸고 있는 점막으로, 눈물샘에서 만들어진 눈물로 촉촉하게 젖어 있습니다.

맥락막

안구의 중간층인 맥락막Choroid 안에는 검은 색소가 들어 있어서 눈으로 들어오는 빛의 산란을 방지합니다. 맥락막의 앞부분은 홍채와 섬모체근이라는 2개의 근육으로 이루어져 있습니다.

홍채는 각막을 들여다보았을 때 색깔이 있는 구조체이고, 홍채 안에 있는 검은 중심부를 동공Pupil이라고 합니다. 홍채에 있는 근육섬유들은 바퀴 살 모양으로 정렬되어 있어서 그 섬유들이 수축하면 동공의 지름이 확장되거나 좁아집니다. 홍채의 근육들이 동공의 크기를 변화시켜 눈으로 들어가는 빛의 양을 조절합니다.

눈의 수정체Lens는 동공 바로 뒤에 있어서 섬모체의 근육이 수축하면 두껍게 휘어지고, 섬모체의 근육이 이완되면 얇고 평평해집니다. 섬모체의 근육은 수정체의 두께와 모양을 변화시켜 수정체의 초점거리를 조절합니다.

태양광의 자외선에 장기간 노출되어 수정체가 딱딱해지고 투명성을 잃어 우유처럼 탁해 보이는 상태를 '백내장p.56 참조'이라 합니다. 백내장은 외과적으로 제거할 수도 있고, 결함이 있는 수정체를 인공수정체로 대체할 수도 있습니다.

망막

안구 가장 안쪽 층인 망막Retina에는 아주 작은 시각세포들이 들어 있는데, 그 모양에 따라 막대세포Rod cell, 간상세포와 원뿔세포Cone cell, 원추세포로 나눕니다.

막대세포는 어두운 야간에도 반응합니다. 원뿔세포는 밝은 주간에만 반응하고, 빨강·초록·파란색에 민감한 3종류적추체, 녹추체, 청추체가 있어서 색깔을 구분할 수 있습니다. 막대세포는 망막의 변두리에, 원뿔세포는 망막의 중심부에 집중적으로 배치되어 있기 때문에 밤에는 정면보다 변두리 부위가 더 잘 보입니다.

안구 안에 있는 공간은 모두 액체로 채워져 있는데, 이 액체는 안구를 정상적인 모양으로 유지하고, 빛의 굴절을 돕습니다. 수정체 앞쪽 방에 들어 있는 액체를 방수Aqueous humor라 하고, 수정체 뒤쪽 방에 들어 있는 액체를 유리체액Vitreous humor이라고 합니다.

방수는 안구 앞쪽에서 계속해서 만들어져서 오래된 방수와 교체되는데, 어떤 원인에 의해 방수 교체가 잘 되지 않는 것을 녹내장Glaucoma, p.56 참조이라고 합니다.

맹점과 굴절이상

시각신경이 망막을 떠나기 위해 모이는 부위에는 막대세포와 원뿔세포가 하나도 없기 때문에 그 부분에 생기는 상은 볼 수 없습니다. 그래서 이 부분을 '맹점Blind spot'이라고 합니다. 또 어떤 원인에 의해 망막에 초점이 맺히지 못하게 된 상태를 '굴절이상'이라 하는데, 굴절이상에는 근시, 원시, 노안, 난시 등이 있습니다.

안경을 쓰거나 콘택트렌즈를 사용하지 않고 외과적으로 굴절이상을 교정하는 방법을 '굴절교정수술Refractive surgery'이라 합니다. 굴절교정수술은 각막을 절개하거나 이식하는 방법과 레이저를 이용해서 각막이나 수정체를 성형하는 방법라식수술과 라섹수술이 많이 이용됩니다.

라식수술과 라섹수술

이 수술은 안경이나 콘텍트렌즈로도 교정할 수 있는 눈의 굴절이상을 외과적으로 수술하는 것이므로 비보험 미용 수술로 분류됩니다.

사람이 성장하는 동안에는 시력에 변동이 생기기 때문에 성인이 된 후 2~3년이 지나서 시력이 안정된 후에 시력교정 수술을 받는 것이 좋습니다.

라식수술은 칼이나 레이저로 각막의 윗부분을 잘라 위로 젖혀 올린 후에그 밑에 있는 각막의 실질 부분을 둥그렇게 깍아서 렌즈처럼 만든 후에 젖혀 올린 뚜껑을 내려서 덮는 수술입니다.

뚜껑으로 만든 각막이 회복되어서 붙는 것이 아니라 그 자리에 그냥 놓여 있는 것이므로 격렬한 운동을 하면 움직일 수도 있고 염증이 생길 수도 있다는 단점이 있습니다. 그러나 수술할 때 통증이 적고, 수술 후 2~3일만 지나도 정상시력을 회복한다는 장점이 있습니다.

라섹수술은 각막의 제일 바깥부분상피을 알코올이나 브러시로 벗겨내고 2~3일 있으면 각막상피가 다시 자랍니다. 그러면 그 상피의 일부를 다시 벗겨내서 렌즈모양을 만들고, 새로 만든 부위 위에 콘텍트렌즈를 덮어서 보호해주다가 각막이 다시 자라서 원하는 모양이 되면 콘텍트렌즈를 제거해주는 수술입니다.

이 경우 각막상피가 자라나려면 시간이 걸리기 때문에 약 1주일 동안은 선그라스와 눈보호대를 착용해야 하고, 각막상피가 원하는 모양으로 잘 자라준다는 보장이 없기 때문에 수술 성공을 담보할 수 없습니다. 그러나 격렬한 운동을 해도 괜찮고, 수술할 때 눈에 상처를 조금만 낸다는 장점이 있습니다.

스마일라식수술은 각막상피를 통과하는 레이저로 각막 실질의 일부를 깍아내어 렌즈를 만들고, 각막 뚜껑을 아주 적게 만드는 수술입니다. 라식과 라섹의 장점만 모아놓은 것 같지만 주로 의사의 손에 의지해야 하고^부 _{정확하고}, 비용이 많이 든다는 단점이 있습니다.

색맹과 야맹

색맹Color blindness은 원뿔세포의 색소Photopigment 생산 기능에 이상이 있기 때문에 발생합니다. 색맹의 대부분은 초록색에 민감한 색소가 없거나 부족한 경우입니다. 빨강색에 민감한 색소가 비정상적인 경우도 있지만, 파랑색에 민감한 색소가 부족한 경우는 극히 드뭅니다.

색맹인 사람은 색깔을 전혀 구분 못하는 것이 아니라 색깔을 정상적으로 구분하지 못합니다. '전색맹'은 색을 느끼지 못하기 때문에 세상이 흑백사진처럼 보이고, '적록색맹'은 빨강색과 초록색을 구별하지 못합니다. '적색맹'은 빨강색에 대한 감각이 없고, '녹색맹'은 초록색에 대한 감각이 없습니다. 색맹은 대부분 유전이어서 치료가 불가능하고, 여성보다 남성이 더 많습니다.

참고로 야맹증은 비타민 A의 결핍으로 막대세포의 기능이 저하된 상태입니다.

노인과 유아의 시력

황반Macula lutea은 망막 한가운데 근처에 있는 노란색을 띤 부위로, 망막에서 원뿔세포가 가장 밀집되어 있는 곳입니다.

65세 이상 노인들은 시간을 두고 황반 부위가 점차 퇴화하는데, 이를 '노인성 황반변성'이라고 합니다. 황반변성이 되면 중심시야中心視野를 점점 잃어 미세한 세부사항을 분별할 수 있는 능력이 점점 떨어집니다. 시력을 완전히 잃는 경우는 거의 없고, 주변시력이 남아 있는 정도는 사람마다 다릅니다. 노인성 황반변성이 오면 정면시야가 명확하지 않기 때문에 독서나 운전 등 일상생활에 크게 제약을 받습니다.

어린아이의 시력은 생후 3개월에는 0.01~0.02, 6개월에는 0.04~0.08, 1년에는 0.2~0.25, 2년에는 0.5~0.6이 되고, 6살이 되어도 약 83%의 어린이만 시력 1.0 이상이 됩니다.

청력검사란?

소리를 들을 수 있는 능력을 평가하는 검사가 청력검사입니다. 청력손실의 유무 또는 청력손실의 정도를 알아내고, 그 결과를 난청 치료 및 재활에 이용할 수 있습니다.

청력검사는 조용한 장소에서 여러 가지 소리를 들려주면서 피검자의 반응을 살펴보는 '주관적 검사'와 피검자가 잠을 자거나 눈을 감고 움직이지 않는 상태에서 의사가 일방적으로 시행하는 '객관적 검사'가 있습니다.

객관적 검사는 대개 어린아이나 정신질환자를 대상으로 실시합니다. 주관적 검사는 순음청력검사, 임피던스청력검사, 어음청력검사를 기본적으로 시행하고, 병변 부위와 피검자의 상태에 따라 다른 청력검사를 추가로 실시합니다.

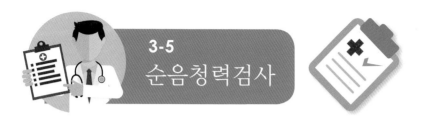

3-5
순음청력검사

귀에 들리는 소리가 한 가지 주파수로만 되어 있으면 '순수한 소리 또는 순음純音'이라 하고, 몇 가지 주파수가 섞여 있으면 '아름다운 소리 또는 악음樂音', 수백 수천 가지 주파수가 섞여 있으면 '시끄러운 소리 또는 소음騷音'이라고 합니다.

전기적으로 순음을 발생시켜서 그 주파수의 음을 잘 듣는지 못 듣는지를 검사하는 것이 '순음청력검사'입니다. 순음청력검사는 주파수를 바꾸어가면서 그 주파수의 소리를 몇 데시벨일 때부터 들을 수 있는지 측정합니다.

그러므로 검사 결과는 "몇 헤르츠Hz의 소리는 몇 데시벨부터 들을 수 있습니다."하는 식으로 나옵니다. 그것을 의사들은 "몇 헤르츠의 청력역치들을 수 있는 최소의 세기는 몇 데시벨입니다."하는 식으로 피검자에게 알려줍니다.

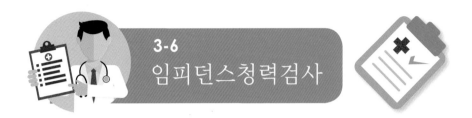

3-6
임피던스청력검사

외이도^{바깥귀길}를 밀폐시킨 상태에서 외이도 내의 압력을 변화시키면서 특정 주파수의 음파를 특정 강도로 준 후 고막에서 반사되는 음파의 세기를 측정하는 검사가 임피던스청력검사입니다.

반사되는 음파의 세기가 클수록 그 주파수에 고막이 잘 반응한다는 뜻입니다. 검사가 진행되는 동안 움직이거나, 울거나, 침을 삼키면 검사 결과가 부정확해집니다.

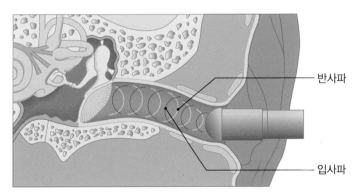

반사파

입사파

✤ 임피던스청력검사

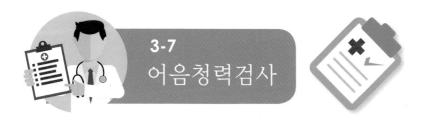

3-7
어음청력검사

일상적인 의사소통 능력을 알아보기 위한 검사입니다.

일상생활에서 사용하는 2음절 단어를 들려주었을 때 알아들을 수 있는 가장 작은 강도가 얼마인지 알아보는 '어음역치검사'와 일상생활에서 사용하는 1음절 단어를 들려주면서 따라 말하거나 받아쓰도록 함으로써 정확하게 인지한 단어가 몇 개인지 알아보는 '어음인지도검사'를 함께 실시합니다.

검사를 받는 사람은 검사법에 대해 설명을 들은 후 집중해야 올바른 검사 결과를 얻을 수 있습니다.

3-8
난청검사

소리를 전혀 듣지 못하는 상태를 '귀머거리' 또는 '농聾'이라 하고, 농은 아니지만 보통 사람보다 소리를 잘 못 듣는 상태를 '난청'이라고 합니다.

바깥귀외이나 가운데귀중이에 이상이 생겨서 잘 듣지 못하는 것은 음파의 진동이 청각세포까지 잘 전달되지 못해서 생긴 난청이므로 '전음성傳音性 난청'이라 하고, 속귀내이나 청각신경에 이상이 생겨 잘 듣지 못하는 것은 음파를 감지하지 못한다는 의미로 '감음성感音性 난청'이라고 합니다.

세계보건기구에서는 난청의 정도를 다음과 같이 판별합니다.

심한 난청	**81dB 이상** : 화가 나서 지르는 소리도 듣지 못한다.
고도 난청	**61~80dB** : 화가 나서 지르는 소리 중에서 잘 들리는 쪽의 귀로 몇 개의 단어만 들을 수 있다.
중간 난청	**41~60dB** : 1m 거리에서 큰 소리로 하는 말을 들을 수 있다.
가벼운 난청	**26~40dB** : 1m 거리에서 보통 소리로 하는 말을 들을 수 있다.
장애 없음	**0~25dB** : 속삭이는 소리도 들을 수 있다.

❖ 세계보건기구에서 정한 청각장애의 등급(WHO, 2008)

노인성 청각장애

일반적으로 나이가 들수록 '가청주파수음역_{들을 수 있는 주파수의 범위}'이 좁
아지는데, 18세 이후부터 서서히 감퇴되다가 50세 이후부터는 한층 더 빨
리 감퇴됩니다.

아래 그림에서 알 수 있는 바와 같이 2,000헤르츠 이하의 음역에서는 나
이가 들어도 최소가청치가 거의 감퇴되지 않기 때문에 일상생활에는 문제
가 전혀 없지만, 5,000헤르츠 이상의 고음은 잘 듣지 못하고, 여성보다 남성
이 더 심합니다.

노인성 청각장애는 병원에 가도 치료가 잘 되지 않으므로 보청기의 사
용이 최선의 방법입니다.

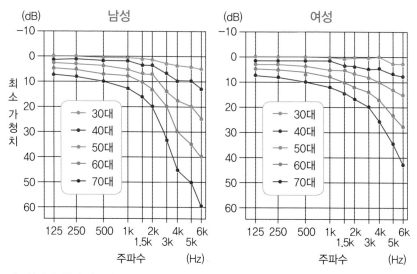

❖ 연령별 청력 수준

음파

북을 두드리거나 기타줄을 튕기면 소리가 나고, 북이나 기타줄을 손으로 잡아서 진동하지 못하게 하면 소리가 멈춥니다. 즉 가죽이나 줄 같은 물체의 진동이 우리 귀에 전달되어 대뇌가 인식하는 것이 '소리'입니다.

이때 전달되는 진동을 '음파音波'라 하고, 음파를 전달하는 물질을 '매질'이라고 합니다. 공기뿐 아니라 물이나 고체도 음파를 전달하는 매질이 될 수 있습니다. 일반적으로 기체보다는 액체가, 액체보다는 고체가 음파를 더 잘 전달합니다.

소리의 높이음정

소리의 높고 낮음 또는 고음과 저음을 구별하는 요소를 음정音程이라고 합니다. 음정은 음파의 진동수에 의해서만 결정되고, 진동수는 헤르츠Hz로 나

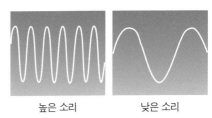

높은 소리　　　낮은 소리

타냅니다. 인간이 들을 수 있는 진동수는 대략 20~20,000헤르츠이고, 진동수가 많은 소리를 고음이라고 합니다.

진동수가 20,000헤르츠 이상이면 사람은 듣지 못하지만 박쥐나 돌고래는 들을 수 있는데, 그러한 음파를 '초음파'라고 합니다.

소리의 맵시음색

사람 소리와 새 소리 또는 바이올린 소리와 기타 소리를 구별하는 요소를 음색音色이라고 합니다. 음색은 음파의 모양에 의해서만 결정됩니다.

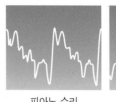 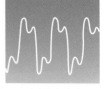

피아노 소리   바이올린 소리

소리의 크기강도, 데시벨

소리의 세기 또는 크기를 구별하는 요소를 강도强度라고 합니다. 소리의 강도는 음파의 압력에 의해서만 구별되고, 음압은 마이크로파스칼uPa 또는 데시벨dB로 나타냅니다.

 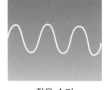

큰 소리   작은 소리

인간이 들을 수 있는 가장 큰 소리는 약 120데시벨입니다. 120데시벨보다 더 크면 소리로 인식하는 것이 아니라 촉각觸覺으로 인식합니다. 예를 들어 130데시벨 정도 되면 귀가 간지럽다고 느끼고, 140데시벨이면 귀가 따갑다고 느낍니다.

소리가 사람의 귀에 잘 들리려면 소리의 크기가 커야 하지만, 음의 높이와도 관계가 있습니다. 즉 같은 크기의 소리라도 음파의 진동수가 너무 낮거나 너무 높으면 잘 들리지 않습니다. 사람에 따라 차이가 있지만 약 4,000헤르츠의 소리가 가장 잘 들린다고 합니다.

전화기를 발명한 미국의 알렉산더 그레이엄 벨Alexander Graham Bell을 기념하기 위해서 소리의 세기크기를 나타내는 단위를 벨Bell이라 하고, 1벨의 1/10을 1데시벨1dB이라고 합니다.

청력이 정상인 사람이 겨우 들을 수 있는 소리의 세기를 1벨이라 합니다. 그런데 전화 소리, 기차 소리, 천둥치는 소리가 몇 벨인지 측정해보았더니 문제가 생겼습니다. 천둥치는 소리가 겨우 들을 수 있는 소리의 세기보다 약 1조 배나 크기 때문입니다.

이 경우 천둥 소리보다 조금 작은 소리의 세기를 벨로 나타내려면 숫자를 12개나 써야 하고, 전화기의 벨 소리는 몇 백만 벨이 되기 때문에 몹시 불편하게 생겼습니다.

그래서 다음과 같이 소리의 크기를 로그함수로 나타내는 방법을 고안했습니다.

정상인이 겨우 들을 수 있는 소리 세기의			
1배	$= 10^0$배	= 0벨	= 0데시벨
10배	$= 10^1$배	= 1벨	= 10데시벨
100배	$= 10^2$배	= 2벨	= 20데시벨
1,000배	$= 10^3$배	= 3벨	= 30데시벨
1만 배	$= 10^4$배	= 4벨	= 40데시벨
10만 배	$= 10^5$배	= 5벨	= 50데시벨
1억 배	$= 10^8$배	= 8벨	= 80데시벨
1조 배	$= 10^{12}$배	= 12벨	= 120데시벨

이 원리에 따르면 소음의 크기가 50데시벨인 지역과 소음의 크기가 60데시벨인 지역을 비교했을 때, 60데시벨인 지역이 50데시벨인 지역에 비해 60/50=1.2배 시끄러운 것이 아니고 $10^6/10^5$=10배 더 시끄럽습니다. 즉 소음의 크기가 10데시벨 올라가면 10배, 20데시벨 올라가면 100배, 30데시벨 올라가면 1,000배 더 시끄럽습니다.

조용히 앉아서 숨을 쉬는 소리가 10데시벨이고, 학생들이 조용히 공부하고 있는 도서관이 40데시벨, 두 사람이 보통 소리로 서로 대화하는 소리가 60데시벨, 고함치는 소리가 80데시벨, 기차가 다리를 지나갈 때의 소리가 100데시벨입니다.

귀의 구조와 기능

귀는 바깥귀外耳, 가운데귀中耳, 속귀內耳로 구성되어 있습니다.

바깥귀는 귓바퀴耳介와 바깥귀길外耳道의 두 부분으로 나누어집니다. 보통 귓구멍이라고 하는 바깥귀길은 길이가 약 2.5cm인 관 모양이고, 고막에서 끝이 나며, 음파를 모으는 역할을 합니다.

바깥귀길에는 끈적끈적한 귀지를 분비하는 귀지샘과 짧은 털이 있습니다. 그것들은 바깥귀길을 보호하는 역할을 하지만, 귀지가 쌓이면 음파의 통과를 방해할 수도 있습니다.

가운데귀中耳에는 망치뼈망치처럼 생긴 뼈. 추골, 모루뼈다듬잇돌처럼 생긴 뼈. 침

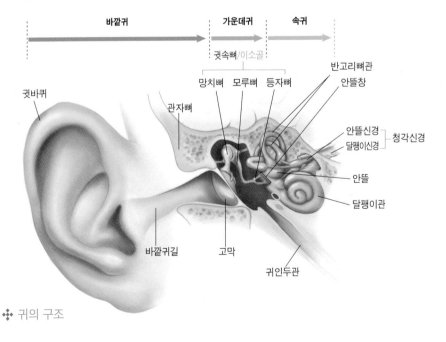

❖ 귀의 구조

골, 등자뼈^{말을 탈 때 발받침이 되는 등자처럼 생긴 뼈. 등자골}가 있습니다. 이 3개의 뼈를 합쳐서 귓속뼈 또는 이소골^{耳小骨}이라고 합니다. 음파의 진동에 의해서 고막이 진동하면 3개의 이소골이 그 진동을 증폭시켜 속귀로 전달하는 역할을 합니다.

'안뜰창^{전정창}'은 등자뼈의 맨 끝부분도 되고 속귀의 시작부분도 되며, 귓속뼈^{이소골}의 진동을 안뜰^{전정 또는 앞마당}로 받아들이는 창문 역할을 합니다. 안뜰창을 영어로 oval window라고 하는데, 이를 그대로 번역해서 '난원창^{계란같이 타원 모양인 창}'이라고도 합니다.

속귀^{內耳}는 안뜰^{전정}, 3개의 반고리뼈관^{반규관 : 반원 모양의 뼈로 만들어진 관}, 달팽이관^{달팽이처럼 생긴 관. 와우}의 3부분으로 구성되어 있는데, 3부분은 서로 연결되어 있습니다. 연결된 관의 모양이 아주 복잡하다고 해서 '미로^{迷路}'라 하고, 미로 안은 림프액으로 채워져 있습니다.

중이염

가운데귀^{중이}의 상피, 귀인두관^{이관}, 목구멍은 하나의 연결된 막입니다. 그렇기 때문에 인후염에 걸리면 목구멍에서 귀인두관을 거쳐서 가운데귀로 병균이 전염되어 중이염으로 번지는 경우가 많습니다.

그리고 코를 너무 심하게 풀면 공기의 압력이 가운데귀로 전달되기 때문에 귀가 멍멍해지거나, 잘못하면 고막이 터질 수도 있습니다. 그래서 코를 풀 때에는 두 코 중에서 한 쪽 코를 막고 푸는 것이 좋습니다.

평형감각과 청각

3개의 반고리뼈관^{반규관}은 서로 직각을 이루고 있어서 그 안에 들어 있는 림프액이 전후 · 좌우 · 상하 방향으로 흔들리는 움직임을 정확하게 알아낼 수 있습니다. 반고리뼈관과 안뜰^{전정} 안에는 머리털같이 생긴 돌기를 가진 '평형감각세포'가 있습니다. 머리^頭를 움직이면 반고리뼈관에 들어 있는 림프액이 흔들리고, 그러면 평형감각세포에 붙어 있는 머리털같이 생긴 돌기가 굽혀지면서 신경임펄스를 만듭니다.

그 임펄스가 안뜰신경^{전정신경}과 속귀신경^{청각신경}을 거쳐서 숨골^{연수, 延髓}로 들어가 전정신경핵에 도달하면 평형감각을 느끼게 됩니다. 그러므로 귀는 소리를 듣는 '청각기관'의 역할도 하지만, 몸의 균형을 조절하는 '평형감각기관'의 역할도 합니다.

달팽이관 안에는 '코르티기관^{organ of Corti}'이라고 하는 청각기관이 있습니다. 미로를 가득 채우고 있는 림프액이 코르티기관을 둘러싸고 있고, 코르티기관 안에는 청각을 감지하는 '털세포'가 있습니다.

등자뼈에 의해서 안뜰창이 진동하면 달팽이관^{와우관}을 채우고 있는 림프액이 진동하고, 림프액이 진동하면 털세포가 움직이면서 신경임펄스를 만듭니다. 그 신경임펄스가 달팽이신경^{와우신경}과 속귀신경을 거쳐서 대뇌피질의 청각영역에 도달하면 "소리로 인식하게 됩니다."

3-9 혈압검사

　혈압은 '혈액이 혈관을 따라 흐르도록 미는 힘'이라고 할 수도 있고, '혈액이 혈관 밖으로 나오려고 혈관벽에 작용하는 압력'이라고 말할 수도 있습니다. 혈관 안에서의 혈압을 그래프로 그린 것이 아래 그림입니다.

　심장에서 혈액이 나오는 대동맥의 혈압이 가장 높고, 혈액이 온몸을 돌

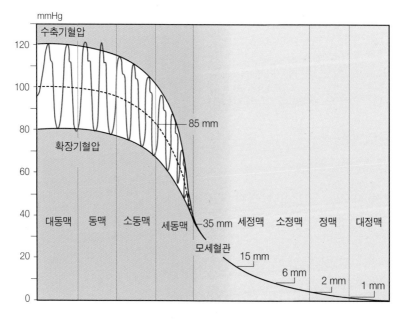

❖ 혈관 안에서의 혈압

아서 다시 심장으로 들어가는 대정맥의 혈압이 가장 낮습니다. 대동맥의 평균혈압은 약 100mmHg입니다. 동맥에서는 수축기와 확장기에 따라서 혈압이 오르락내리락하지만, 정맥에서는 변화가 없으며, 대정맥의 혈압은 거의 0mmHg입니다.

대동맥의 평균혈압과 대정맥의 혈압 차이를 '혈압기울기'라 하며, 혈압 기울기가 클수록 혈액이 잘 순환합니다. 만약 혈압기울기가 0mmHg가 되면 혈액이 흐르지 못하기 때문에 몇 분 이내에 사망하게 됩니다.

병원에 가서 혈압을 측정하면 큰 숫자 하나와 작은 숫자 하나를 피검자에게 알려줍니다. 그때 큰 숫자를 '수축기혈압', 작은 숫자를 '확장기혈압'이라고 합니다. 즉 큰 숫자는 심장의 왼심실이 힘차게 수축하면서 혈액을 심장 밖으로 밀어낼 때의 혈압이고, 작은 숫자는 오른심방이 확장되면서 오른심방 안으로 혈액이 들어갈 때의 혈압입니다. 앞의 그림에서 대동맥의 혈압이 80에서 120 사이를 오르락내리락하기 때문에 대동맥의 평균혈압은 100mmHg가 됩니다.

건강한 사람도 혈압이 일정하지 않아서 아침에 일어나서 활동을 시작하면 혈압이 조금씩 올라가고, 일을 하거나 운동을 하면 혈압이 크게 변하며, 쉬거나 잠을 자면 혈압이 다시 내려갑니다. 하루 중에도 혈압이 변하지만 개인, 성별, 나이, 건강상태, 환경에 따라서도 변하기 때문에 한 번 측정한 결과만으로 고혈압이나 저혈압이라고 단정하면 안 됩니다.

고혈압과 저혈압의 판정

수축기혈압과 확장기혈압 중 어느 하나라도 정상범위보다 높으면 고혈압, 낮으면 저혈압으로 판정합니다.

예를 들어 어떤 사람의 혈압이 120mmHg에 90mmHg이라고 한다면, 120mmHg은 정상이지만 90mmHg 때문에 1단계고혈압으로 판정합니다.

	수축기혈압	확장기혈압
저혈압	90mmHg 이하	60mmHg 이하
주의	90~100mmHg	60~70mmHg
정상	100~120mmHg	70~80mmHg
주의	120~140mmHg	80~90mmHg
1단계고혈압	140~160mmHg	90~100mmHg
2단계고혈압	160~180mmHg	100~110mmHg 이상
고혈압위기	180mmHg 이상	110mmHg 이상

혈압에 영향을 미치는 요인

혈압이 너무 높거나 너무 낮으면 각종 질환의 원인이 됩니다. 그러므로 혈압에 영향을 미치는 요인을 잘 알고 대처해서 정상혈압을 유지하려고 노력해야 합니다.

혈액량

동맥혈관 안에 혈액이 많으면 혈압이 높아지고, 동맥혈관 안에 혈액이 적으면 혈압이 낮아집니다. 예를 들어 심한 출혈로 혈액을 잃어버리면 혈압이 급격하게 떨어지고, 이뇨제를 사용해서 소변 배출량을 늘리면 혈액량이 감소되어 혈압이 낮아집니다.

혈압이 높아지는 가장 중요하고 흔한 원인은 염분 섭취입니다. 염분을 섭취하면 혈액 중의 나트륨이온 농도가 상승해서 혈관 밖에 있는 체액보다 농도가 진해집니다. 그러면 체액이 혈관 안으로 이동하게 되고, 결과적으로 혈액량이 많아졌으므로 혈압이 올라가게 됩니다.

심장의 수축력

심장의 수축력이 강하면 더 많은 양의 혈액을 펌프하므로 혈압이 올라가고, 수축력이 약하면 혈압이 내려갑니다. 보통 사람은 왼심실이 한 번 수축할 때마다 약 70mL의 혈액을 대동맥으로 펌프합니다.

그런데 심장의 수축력이 약해져서 한 번에 50mL의 혈액만 펌프한다면 대동맥과 동맥 안으로 들어가는 혈액이 적어지므로 혈압이 내려갑니다.

심박수

심박수가 빨라지면 더 많은 양의 혈액이 대동맥으로 들어가므로 혈압이 증가할 것이고, 심박수가 느려지면 혈압도 내려갈 것입니다.

그러나 실제로는 심박수가 증가하면 심실이 빠르게 수축하기 때문에 심실 안에 혈액을 채울 수 있는 시간이 짧아집니다. 그러면 1회 박출량도 평소보다 감소하는 경우가 많습니다. 따라서 심박수가 많아진다고 반드시 혈압이 높아지는 것은 아닙니다.

혈액의 점도

혈액 안에 들어 있는 적혈구의 수가 갑자기 증가하거나 이상지질혈증^{고지혈증} 등으로 혈액이 끈끈해지면 혈액이 잘 흐르지 못하기 때문에 혈압이 올라갑니다. 그리고 혈액에 물이 들어가서 점도가 낮아지면 혈압이 내려갑니다.

예를 들어 출혈이 발생하면 사이질액^{간질액}이 혈액으로 들어가서 혈액의 점도가 낮아지기 때문에 혈압이 낮아지고, 높은 지대에서 운동을 하면 적혈구가 증가해서 혈액의 점도가 높아지기 때문에 혈압이 올라갑니다.

혈류저항

혈액이 혈관을 따라 흐르는 것을 방해받는 정도를 '혈류저항'이라고 합니다. 죽상경화증이 생기거나, 혈액의 점도가 증가하거나, 말초혈관벽에 있는 근육이 수축하면 혈류저항이 증가해서 혈압이 증가합니다.

죽상경화증^{동맥경화증}

고혈압이 되는 원인 가운데서 가장 많은 것이 '죽상경화증'입니다. 한 번 죽상경화증에 걸린 혈관은 원상 복구가 안 되기 때문에 주의해야 합니다. 동맥혈관 안에 콜레스테롤이 침착하고 내피세포가 증식하면서 생긴 작은 물집 모양을 '죽으로 만들어진 뽀드락지'라는 뜻으로 죽종^{粥腫}이라 합니다. 그리고 혈관에 죽종이 생긴 상태를 '죽상경화증' 또는 '동맥경화증'이라고 합니다.

죽상경화증에 걸리면 혈액의 흐름이 방해받기 때문에 고혈압이 되고, 잘못하면 동맥이 터집니다. 머리에 있는 동맥이 터지면 뇌출혈 또는 뇌졸중으로, 관상^{심장}동맥이 터지면 심정지 또는 협심증으로 이어집니다.

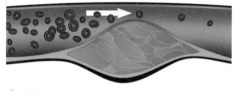

✥ 죽종

고혈압

고혈압 치료와 관련 있는 미국의 단체들이 만든 연합위원회JNC에서는 2014년에 「고혈압치료가이드라인」을 발표했습니다. 여기에서는 고혈압의 기준을 종전의 140/90mmHg에서 150/90mmHg으로 완화함과 동시에 식이요법과 생활방식의 변경으로 혈압조절 방법을 개선시키고, 고혈압 초기부터 약물치료를 병행할 것을 권장하였습니다.

혈압이 5mmHg 감소하면 뇌졸중 위험이 34% 줄고, 허혈성 심장질환 역시 21% 감소할 뿐 아니라 치매 · 심부전 · 심혈관질환으로 인한 사망도 줄일 수 있습니다.

생활습관 변경으로 원하는 혈압수치에 도달하지 못하면 약물치료를 받아야 합니다. 그러나 약물치료를 해도 효과가 없을 때에는 의사와 상의해서 약품을 바꾸는 등의 조치를 취해야 합니다.

고혈압은 본태성원발성 고혈압과 속발성이차성 고혈압으로 구분됩니다. 본태성 고혈압은 "원인을 정확하게 알 수 없이 저절로 생긴 고혈압"이라는 뜻으로, 전체 고혈압의 90~95%를 차지하고, 노화 · 유전적 요소 · 환경적 요소 등의 복잡한 상호작용이 원인으로 추측되고 있습니다.

속발성 고혈압은 알 수 있는 원인에 의해서 비롯된 고혈압으로, 신장콩팥질환이 가장 흔한 원인입니다.

고혈압은 거의 증상을 동반하지 않아서 건강검진을 통하여, 또는 다른 문제로 건강진단을 하다가 확인됩니다. 고혈압이 있는 일부 사람들은 두통, 현기증, 이명, 시력저하, 실신 등의 증상이 있지만, 이러한 증상들은 고혈압 자체보다는 불안감과 관련되었을 가능성이 큽니다.

고혈압은 허혈성 심장병, 뇌졸중, 심근경색심장마비, 심부전, 혈관동맥류, 광범위 죽상경화증 등 주요 심장·혈관질환의 위험인자이며, 인지장애치매, 만성신장질환의 원인이 되기도 합니다.

머리가 무겁고 아프다.

눈에 충혈이 있다.

숨이 차고 두근거린다.

얼굴이 빨개진다.

귀가 울린다.

코피가 잘 난다.

어깨가 쑤신다.

손발이 저리거나 부어오른다.

❖ 고혈압의 증상

고혈압의 종류

고혈압위기

혈압이 180/110mmHg 이상인 경우입니다. 증상이 없을 수도 있지만 합병증의 위험이 아주 큽니다. 약을 먹어서 24~48시간 내에 혈압을 낮추어야 합니다.

노인성 고혈압

60세 이상 노인들이 고혈압을 치료하면 심혈관질환과 사망률은 줄지만, 80세 이상 노인들은 질병과 사망률이 크게 줄지 않습니다. 그러므로 150/90mmHg를 유지할 것을 권고합니다.

악성 고혈압

고혈압 때문에 장기가 직접적인 손상을 입은 경우입니다. 뇌가 붓고 기능장애인 뇌병변장애, 망막이 붓는 망막부종, 눈바닥에서 피가 나는 안저출혈, 대동맥의 내벽이 찢어지는 대동맥박리, 신장기능이 급격히 저하되는 급성신부전 등이 일어날 수 있습니다. 이러한 상황에서는 혈압을 신속히 낮추어야 합니다.

임신성 고혈압

임신 기간에 새로이 고혈압이 발생해서 140/90mmHg를 넘는 경우를 임신성 고혈압이라 하고, 임신성 고혈압이면서 단백뇨가 나오는 경우를 '전자간증'이라고 합니다. 전자간증은 어린아이 때문에 간질 발작을 일으키는 전조 증상이라는 뜻으로, 매우 위험한 병입니다.

혈압조절 방법

육체적인 운동

혈압조절에 가장 중요한 것은 운동입니다. 운동은 몸을 따뜻하게 하여 혈액순환을 원활히 합니다. 다만 과격한 운동은 오히려 혈압을 상승시킬 수 있으니 가벼운 유산소 운동이 좋습니다.

식생활 개선

기름진 음식, 맵고 짠 음식, 인스턴트 음식, 가공식품 등은 모두 혈압을 높이는 주원인입니다. DASH 식이요법채소와 과일 위주의 식단, 견과류와 정제하지 않은 통곡식의 섭취 등 고혈압방지를 위한 다이어트 식품의 섭취을 실천하는 것이 좋습니다.

스트레스 관리

스트레스와 피로는 급작스럽게 혈압을 상승시킬 수 있으므로 스트레스가 쌓이지 않도록 해야 합니다.

금주와 금연

담배와 술은 혈관을 녹슬게 하고 병들게 하는 가장 큰 원인이니 혈압이 높으면 금주와 금연부터 실천해야 합니다.

체온 유지

목욕과 반신욕을 정기적으로 하고, 모자·내복 등을 착용하여 몸을 따뜻하게 만들어 체온을 유지하는 것이 좋습니다.

저혈압

　100/60mmHg 이하의 혈압을 '저혈압'이라 합니다. 저혈압은 대부분 별다른 이상징후를 보이지 않습니다. 피검자의 나이 · 동반 질환 · 생리기능 등에 따라 낮은 혈압에 대한 적응 및 증상과 예후도 다릅니다. 특히 혈압이 몇 mmHg까지 떨어졌느냐 보다는 얼마나 짧은 시간 안에 혈압이 떨어졌느냐에 따라 저혈압의 예후가 크게 달라집니다.

　저혈압의 증상은 현기증, 두통, 팔다리저림, 전신무기력을 호소하는 경우가 많고, 불면증과 서맥맥박이 1분에 60회 이하 뛰는 것 또는 변비가 수반되기도 합니다. 심하면 시력장애 · 구역질 · 실신 등의 증상도 나타납니다.

　저혈압이 오래 지속되어도 나쁜 영향을 미치거나 합병증이 생기는 경우가 거의 없으므로 불편한 증상이 없으면 특별한 치료가 필요하지 않습니다. 기립성 저혈압p.89 참조 증세가 나타날 때는 옆으로 누워서 안정을 취하면 간단히 회복될 수 있습니다. 속발성 저혈압이나 쇼크와 관련되어 발생하는 저혈압은 원인을 찾아서 빨리 치료해야 하며, 증상이 심하면 지체없이 병원으로 가야 합니다.

　기립성 저혈압과 식후 저혈압의 경우에는 약물요법과 더불어 고칼로리 · 고단백 식이와 염분 섭취를 늘리는 것이 좋습니다. 그리고 일상생활에서 적당한 운동, 충분한 수면, 규칙적인 식사 등 자기 관리가 요구됩니다. 잘 때 머리와 상체를 약간 높게 하고, 장시간 서 있을 때에는 탄력 있는 스타킹을 착용하며, 아침에 잠이 깨면 침대에 잠시 앉아 있다가 일어나야 증상을 방지하는 데에 도움이 됩니다.

신경성 저혈압은 대개 후유증을 남기지 않고 수분 내에 회복되지만, 가능하면 놀라거나 화가 나는 상황을 만들지 않아야 합니다. 교감신경의 흥분을 억제하는 약을 투여하기도 합니다.

쇼크Shock

샛길 지식

어떤 원인으로 전신의 혈압이 감소하면 우리 몸은 자동적으로 피부나 근육 등 생명유지에 별로 중요하지 않은 조직에는 혈액공급을 줄이고, 뇌·심장·신장 등의 중요한 장기에는 혈액공급을 늘리는 보상작용을 합니다.

그러나 보상작용에도 한계가 있어서 혈압이 심하게 감소되면 중요 장기로의 혈액 공급도 감소됩니다. 그러면 뇌·심장·신장 등의 기능장애로 이어져서 생명이 위태롭게 되는 것을 '쇼크'라고 합니다.

'출혈에 의한 쇼크'와 '알레르기에 의한 쇼크페니실린, 아스피린, 항생제, 조영제 같은 약물이나 음식물, 곤충, 전갈, 뱀의 독에 신체가 과민반응을 일으켜서 생김'가 많이 발생하는데, 이때에는 생명이 위독하므로 즉시 병원에 가서 응급처치를 받아야 합니다.

동공이 확대된다.
(눈동자 반응 저하)

피부는 창백해서 차갑고, 진땀을 흘리는 때도 있다.

호흡은 빠르고, 불규칙하고, 얕으며, 비린내가 난다.

표정은 불안감과 두려움의 상태를 보인다.

맥박은 약하고 빠르다.

입술은 청색증을 띈다.

몸은 몹시 떨릴 수도 있다.

✤ 쇼크의 증상

저혈압의 종류

본태성 저혈압

원인이 명확하지 않은 저혈압으로 가장 일반적입니다.

속발성 저혈압

어떤 질환의 증후로 또는 그 병 때문에 새로 생긴 저혈압입니다.

기립성 저혈압

눕거나 앉아 있다가 갑자기 일어날 때와 같이 체위를 변환시키거나 장시간 서 있을 때 저혈압 증세가 나타나는 경우입니다. 누워서 측정한 혈압과 일어선 상태에서 측정한 혈압에 의미 있는 차이가 있으면 기립성 저혈압입니다.

임신성 저혈압

임신을 하면 수축기혈압과 확장기 혈압이 모두 평소보다 약 10mmHg씩 낮아집니다. 이는 양수가 생기고 혈액의 양이 늘어나면서 일시적으로 생긴 현상이므로 출산 후에는 저절로 정상으로 돌아옵니다.

식후 저혈압

식사를 하고 나면 음식물을 소화시키기 위해서 많은 양의 혈액이 소화기관으로 흐릅니다. 정상적으로는 다른 기관에 공급되는 혈액의 양이 감소하지 않도록 미리 간이나 비장에 충분한 혈액을 비축해두므로 혈압에 영향을 미치지 않지만, 노인이나 질병에 걸려서 건강이 좋지 않은 사람은 저혈압이 나타납니다.

신경성 저혈압

영화나 드라마에서 충격적인 소식을 듣거나 화를 내다가 쓰러지는 장면을 볼 수 있는데, 그 증상이 바로 신경성 저혈압입니다. 우리 몸에서는 교감신경은 혈압을 올리고, 부교감신경은 혈압을 내리는 역할을 합니다. 놀라거나 화가 나서 교감신경이 올린 혈압을 부교감신경이 정상으로 환원시키기 위해 혈압을 낮추다가 잘못해서 너무 많이 내려버려서 일시적으로 저혈압이 된 것입니다. '미주신경성 실신'이라고도 합니다.

혈관의 구조와 기능

우리 몸에 있는 혈관은 크게 동맥과 정맥 그리고 모세혈관으로 나눕니다. 동맥은 산소와 영양분이 풍부한 혈액을 운반하는 혈관으로 크기에 따라 대동맥, 동맥, 세동맥으로 나눕니다. 정맥은 이산화탄소와 폐기물이 많은 혈액을 운반하는 혈관으로 크기에 따라 대정맥, 정맥, 세정맥으로 나눕니다.

세동맥에서 세정맥으로 혈액이 흐르는 혈관을 모세혈관이라 하고, 모세혈관과 조직세포 사이에서 물질교환이 이루어집니다. 즉 산소와 영양분은 모세혈관에서 조직세포로 이동하고, 이산화탄소와 폐기물은 조직세포에서 모세혈관으로 이동합니다.

혈액이 흐르는 순서대로 혈관을 나열하면 다음과 같습니다.

| 심장의 좌심실 | 대동맥 | 동맥 | 세동맥 | 모세혈관 |
| 심장의 우심방 | 대정맥 | 정맥 | 세정맥 |

모세혈관 이전의 혈액을 '동맥혈', 이후의 혈액을 '정맥혈'이라고 합니다.

동맥과 정맥은 아래 그림과 같이 바깥막, 중간막, 속막으로 되어 있습니다.

가장 바깥에 있는 바깥막^{외막}은 혈관이 터지지 않도록 혈관벽을 강화하기 위하여 결합조직섬유로 되어 있습니다. 혈관 중간에 있는 중간막^{중막}에는 민무늬근육이 있어서 수축과 이완이 가능합니다. 중간막은 혈압을 유지하고 분배하는 역할을 하고, 동맥이 정맥보다 더 두껍습니다.

혈관 가장 안쪽에 있는 속막^{내막}은 아주 얇은 내피세포 한 겹으로 되어 있어서 혈액이 흐를 때 마찰을 줄여줍니다.

마지막으로 모세혈관은 동맥과 정맥의 제일 안쪽에 있는 속막으로만 되어 있어서 영양분, 노폐물, 산소, 이산화탄소 등이 모세혈관 밖으로 빠져나

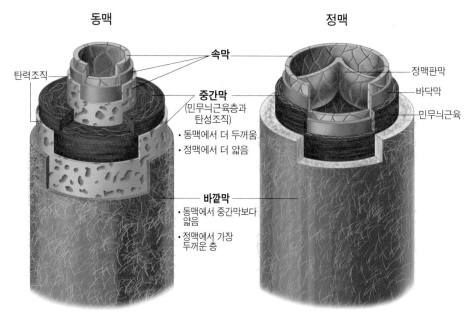

❖ 동맥과 정맥의 구조

가거나 안으로 들어오기 쉽습니다.

팔다리에 있는 정맥은 앞의 그림에서 볼 수 있는 바와 같이 정맥판막이 있어서 혈액이 반대방향으로 역류하는 것을 방지합니다. 사람이 서 있을 때 종아리에 있는 근육이 수축하면 정맥이 눌리면서 혈액이 위로 올라가는데, 한 번 위로 올라간 혈액은 정맥판막 때문에 다시 밑으로 내려가지 못합니다. 그래서 종아리 근육을 '제2의 심장'이라고도 합니다.

동맥과 세동맥은 혈관을 수축시키거나 이완시켜서 동맥혈압을 정상으로 유지하는 데에 도움을 주고, 심장에서 나온 혈액을 전신에 있는 모세혈관으로 배분합니다. 정맥과 세정맥은 모세혈관으로부터 혈액을 모아서 심장으로 되돌려보내는 역할과 '혈액저장소' 역할을 합니다. 왜냐하면 정맥과 세정맥은 동맥보다 낮은 압력에서 혈액을 운반하므로 많은 양의 혈액이 정맥 안에 남아 있을 수 있도록 확장될 수 있기 때문입니다.

PART
——
04

소변검사

소변검사의 구분

소변검사는 다음과 같이 나눕니다.

물리적 검사	화학적 검사	요침사 검사	기타
소변의 색깔 및 혼탁도, 냄새, 소변량과 비중 검사	요시험지봉을 이용하여 요산도, 요잠혈, 요단백, 요당, 요케톤체, 빌리루빈과 우로빌리노겐 검사	현미경을 이용하여 소변에 들어 있는 적혈구, 백혈구, 세균 및 각종 결정 등 관찰	신사구체여과율, 혈중 요소질소 검사

특별한 활동을 하거나 특이한 음식을 섭취하면 소변의 양과 내용물이 크게 변하므로 평소와 동일한 생활환경에서 소변을 채취해야 합니다. 소변을 볼 때 첫 30mL 정도는 버리고, 중간뇨를 병원에서 준 용기에 약 30~50mL 받습니다.

병원에서 24시간 동안 소변을 모아오라고 하면 주의사항을 잘 듣고 그대로 해야 합니다. 소변 채취 또는 보관이 잘못되면 검사 결과도 잘못되기 때문입니다.

소변의 물리적 검사

4-1
소변의 색깔 및 혼탁도검사

소변은 무슨 색이고, 깨끗한가?

맑고 밝은 노란색	정상
붉은색	혈뇨, 비트beet 섭취, 황달 등을 의심
진한 갈색	근육 손상, 비타민 과다섭취 등을 의심
오렌지색	감기약을 먹었는지 의심
혼탁	당뇨를 의심

건강한 사람의 소변은 혼탁하지 않고 맑으며, 밝은 노란색을 띄고 있습니다. 소변이 혼탁해지는 이유는 세균, 고름농, 유미암죽, 지방구지방방울, 정액, 염류 등이 섞여 있기 때문입니다.

소변에 색깔이 있으면 음식물이나 약물의 섭취, 또는 소변에 피가 섞여 나오는 것이 아닌지 의심해봐야 합니다. 소변에 피가 섞여 나온다면 소변이 나오는 통로 어딘가에서 출혈이 있다는 증거입니다. 소변을 볼 때 거품이 많이 일어나면 단백뇨단백질이 섞여 나오는 소변를 의심해봐야 합니다.

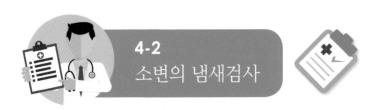

4-2
소변의 냄새검사

소변에서 나는 냄새는?

소변 특유의 냄새	정상
진한 지린내	소변 농축을 의심
달콤한 향기	당뇨를 의심
지독한 냄새	요로감염, 아미노산질환 등을 의심

정상적인 소변은 소변 특유의 냄새가 납니다. 오래 참았다가 소변을 보면 소변이 농축되어서 냄새가 진해집니다. 소변에서 달콤한 과일향이 나면 당뇨를 의심하고, 지독한 냄새가 나면 요로감염이나 아미노산질환_{신장}에서 여과된 아미노산이 재흡되지 않아서 생기는 병증을 의심합니다.

4-3
소변량과 비중검사

하루에 소변을 몇 밀리리터ᵐᴸ 배설하는가?	
정상 성인기준	1,200~1,500mL/일
다뇨	2,000mL/일 이상
핍뇨	500mL/일 이하

다뇨 또는 핍뇨의 원인

• 수분섭취량의 과다 • 신장이상
• 수분섭취량의 부족 • 부신이상

　정상 성인의 소변량은 하루 평균 1,200~1,500mL 정도입니다. 2,000mL 이상이면 다뇨, 500mL 이하이면 핍뇨라고 합니다. 수분섭취량에 의해서 다뇨나 핍뇨가 올 수도 있지만, 대개는 신장이나 부신에 어떤 이상이 있는 경우입니다.

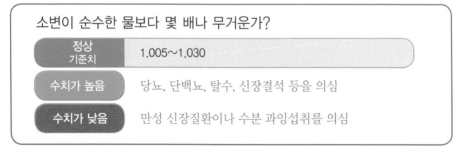

소변이 순수한 물보다 몇 배나 무거운가?	
정상 기준치	1.005~1.030
수치가 높음	당뇨, 단백뇨, 탈수, 신장결석 등을 의심
수치가 낮음	만성 신장질환이나 수분 과잉섭취를 의심

　소변의 비중은 보통 1.005~1.030이지만, 노인이나 신생아는 소변의 비중이 낮아서 1.001~1.020입니다.

소변의 화학적 검사 _{요시험지봉검사}

길이 약 10cm, 폭 약 5mm인 플라스틱 판에 약 10가지 시약을 차례로 발라놓은 것을 '요시험지봉'이라고 합니다. 거기에 피검자의 소변을 바르면 약 10가지 검사를 한 번에 할 수 있어서 아주 편리합니다.

어떤 시약을 어디에 발라놓았느냐는 제조회사마다 조금씩 다르고, 제조회사에서 지시한 시간이 지난 다음 각 부분의 색깔을 보고 판정합니다.

이 방법은 좁은 공간에 여러 가지 시약을 발라놓았기 때문에 서로 간섭을 일으켜 검사 결과가 잘못될 수도 있고, 피검자가 먹은 음식이나 약 때문에 엉뚱한 결과가 나올 수도 있다는 단점이 있습니다.

다음은 요시험지봉을 이용한 주요 검사입니다.

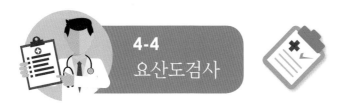

4-4
요산도검사

> 소변의 산도^{pH}가 얼마인가?

pH는 용액 속에 들어 있는 수소이온$^{H^+}$의 농도에 의해서 결정됩니다. pH 다음에 오는 숫자가 7.0이면 중성, 7.0보다 작으면 산성, 7.0보다 크면 알칼리성 또는 염기성이라고 합니다. pH 다음의 숫자가 적을수록 강한 산성, 클수록 강한 알칼리성입니다.

순수한 물은 중성이고, 신맛이 나면 산성, 짠맛이 나고 손에 묻혔을 때 미끄러운 감이 들면 알칼리성입니다. 염산은 아주 강한 산성이고, 수산화나트륨$^{양잿물 \text{ 또는 } 가성소다}$은 강한 알칼리성입니다. 인체에서는 위액이 pH 2.0으로 제일 강한 산성이고, 혈액은 pH 7.4 정도로 약한 알칼리성입니다.

정상적인 소변에는 영양물질을 사용하고 남은 물질^{탄산}이 들어 있기 때문에 pH 5.5~6.5로 약한 산성입니다. 일반적으로 소변의 pH가 5.0보다 작아지면 산성뇨, 7.5보다 커지면 알칼리성뇨라고 합니다.

음식물 섭취가 원인이 되어 산성뇨 또는 알칼리성뇨가 나올 수도 있지만, 산성뇨가 나오면 기아^{굶주림}, 설사, 탈수, 세균감염, 육류의 다량섭취 등을 의심하고, 알칼리성뇨가 나오면 신장질환, 구토, 대사성 또는 호흡성 알칼리증, 채소류의 다량섭취 등을 의심합니다.

4-5
요잠혈검사

소변에 피가 섞여 있는가?

혈뇨   혈뇨이면 방광염, 신염, 요로결석, 신장암, 방광암, 전립선염과 암, 백혈병, 근위약증, 격렬한 운동 등을 의심할 수 있습니다. 원인을 빨리 파악해서 대처해야 합니다.

소변에 혈액이 섞여 있는지 여부를 알아보는 검사를 '요잠혈검사'라고 합니다. 요시험지봉 검사에서 양성이 나오면 적혈구, 미오글로빈, 헤모글로빈 중에서 어느 것이 섞여 있는지 확인하기 위해 요침사검사_{p.105 참조}를 다시 합니다. 적혈구가 관찰되면 혈뇨로 판정합니다.

다음은 소변에 적혈구가 섞여 있는 경우입니다.

🐚 소변을 만드는 사구체에서 출혈_{사구체성 출혈}

🐚 방광이나 요도와 같이 소변이 지나가는 통로에서 출혈_{요로계통의 출혈}

🐚 어떤 원인에 의해서 다량의 적혈구 파괴

🐚 근육 손상

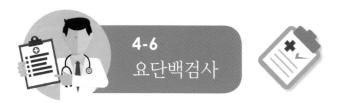

소변 1데시리터^{dL} 안에 단백질이 몇 밀리그램^{mg} 들어 있나?

정상 기준치	음성(10mg/dL 이하)	
양성 단백뇨	20mg/dL 이상	고열, 외상, 신우신염, 신경화증, 골수암, 신염, 임신중독증, 방광염, 폭음/폭식, 방사선 치료 등을 의심

혈액 속에 함유되어 있는 단백질은 신장의 사구체에서 일단 여과되지만, 99% 이상이 요세관에서 다시 흡수되어 혈액 속으로 돌아옵니다. 그러므로 신장기능에 이상이 없으면 소변과 함께 배출되는 단백질은 극히 미량에 지나지 않습니다.

정상 소변에서 배출되는 단백질은 알부민, 글로불린 그리고 신장의 네프론에서 배출되는 단백질로 구성되는데, 그 양은 10mg/dL 정도입니다. 20mg/dL 이상의 단백질이 소변으로 배출되면 단백뇨로 판정합니다.

소변과 함께 배출되는 단백질의 양이 정상치보다 많은 원인으로는 신장 사구체 장애, 요세관 장애, 혈액 중에 단백질이 지나치게 많은 경우, 요로나 요도 출혈 등이 있습니다.

4-7
요당검사

소변 1데시리터^{dL} 안에 당분이 몇 밀리그램^{mg} 들어 있나?

정상 기준치	음성(2mg/dL 이하)	
양성 당뇨	50mg/dL 이상	혈당검사를 해야 합니다.

당뇨병, 부신의 질환이나 기능이상, 간 또는 췌장 질환 등으로 혈중 코티졸의 농도가 지나치게 높은 것이 요당이 배출되는 원인입니다.

　신장의 사구체에서 혈액을 여과할 때에는 내 몸에 필요한 성분과 불필요한 성분을 가려서 걸러내지 않고, 일단 혈액의 액체 성분은 대부분 걸러낸 후 필요한 성분은 세뇨관에서 다시 흡수합니다.

　이때 혈액에 너무 많은 당분이 포함되어 있으면 일단 모두 걸러내서 세뇨관으로 내보낸 다음 다시 흡수해야 하므로, 흡수할 수 있는 한계를 초과하게 됩니다. 그러면 별수 없이 당분이 요세관을 따라 방광으로 흘러나가는데, 이때 당분이 섞여 있는 소변이 나옵니다.

　소변에 당분이 섞여서 나오는 병을 '당뇨병'이라고 하지만, 진단은 소변검사보다는 혈액검사가 더 정확합니다.

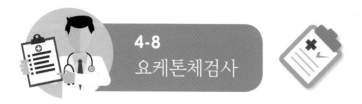

4-8
요케톤체검사

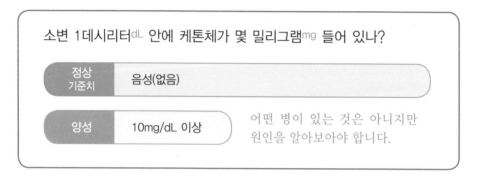

소변 1데시리터^{dL} 안에 케톤체가 몇 밀리그램^{mg} 들어 있나?

정상 기준치	음성(없음)	
양성	10mg/dL 이상	어떤 병이 있는 것은 아니지만 원인을 알아보아야 합니다.

케톤^{ketone}은 우리 몸이 글루코스^{당질}를 연료로 사용하지 않고 지방산^{지질}이나 아미노산^{단백질}을 연료로 사용했을 때 생기는 물질입니다. 정상 소변에서 검출되지 않지만 심한 운동, 단식이나 굶주림, 임신, 스트레스, 구토, 탈수, 당뇨병환자 등의 경우 소변으로 배출되기도 합니다.

우리 몸안은 에너지원으로 당질을 이용해야 가장 자연스럽습니다. 지방산이나 아미노산을 에너지원으로 이용한다면 자연스러운 일이 아닙니다. 소변에서 케톤체가 검출되었다고 해서 어떤 병이 있다는 의미는 아닙니다. 다이어트의 한 방법으로 소식하거나 채식을 해도 케톤체가 검출되기 때문입니다.

4-9
빌리루빈과 우로빌리노겐검사

혈액 1데시리터^{dL} 안에 빌리루빈이 몇 밀리그램^{mg} 들어 있나?

정상 기준치	음성(1mg/dL 이하)
양성	2mg/dL 이상 · 간 · 담도 · 용혈성 질환이나 황달을 의심

적혈구의 헤모글로빈이 분해되면 빌리루빈이 됩니다. 빌리루빈은 간에서 좀 더 단순화되어 '직접 빌리루빈'으로 바뀐 뒤 담관을 통해 장으로 배출됩니다. 장으로 배출된 직접 빌리루빈은 세균들에 의해 우로빌리노겐으로 환원된 후 대부분 대변으로 배설되지만, 일부는 장에서 다시 흡수됩니다. 흡수된 우로빌리노겐은 필요한 물질이 아니므로 신장에서 여과되어 소변으로 나옵니다.

정상 소변에서 우로빌리노겐은 극소량^{약 1mg/dL}만 검출됩니다^{음성}. 그러나 어떤 원인에 의해 적혈구가 대량으로 파괴되거나 담관이 막혀 직접 빌리루빈을 배출하지 못하면 소변에서 빌리루빈과 우로빌리노겐이 다량으로 검출됩니다. 혈중 빌리루빈의 정상치는 총 빌리루빈 0.2~1.0mg/dL이고, 이 중 직접 빌리루빈 0~0.4mg/dL, 간접 빌리루빈 0.2~0.6mg/dL 입니다.

4-10
요침사검사

소변에 침전되는 결정체가 있는지 현미경으로 검사합니다.

정상 기준치	남자는 적혈구, 백혈구, 상피세포가 0~1개 여자는 적혈구 0~1개, 백혈구 0~3개, 상피세포 10개 이하, 원주체 3개 이하
수치가 높음	요로질환과 기타 질환을 의심. 요산염, 인산염, 탄산칼슘, 황산칼슘 등의 결정체가 검출되면 결석을 의심.

요침사검사는 소변에 가라앉아 있는 모래^{고형물질}를 검사한다는 뜻으로, 소변에 적혈구, 백혈구, 상피세포, 세균과 같은 유기물이나 각종 염류의 결정이 들어 있는지 현미경으로 확인하는 검사입니다.

남자는 적혈구 · 백혈구 · 상피세포가 0~1개, 여자는 적혈구 0~1개, 백혈구 0~3개, 상피세포 10개 이하가 정상입니다. 원주체^{요세관에서 만들어지는 관 모양의 덩어리. 거푸집}는 3개 이하여야 합니다. 산성뇨에서는 요산염과 황산칼슘의 결정체가, 알칼리성뇨에서는 인산염과 탄산칼슘의 결정체가 발견될 수 있습니다.

적혈구가 검출되면 사구체신염, 신우신염, 신장결석, 방광염을 의심하고, 백혈구가 검출되면 신우신염, 방광염, 요도염을 의심합니다. 상피세포가 검출되면 방광염, 요도염을 의심하고, 결정 성분이 검출되면 신장결석, 급성 간염, 폐색성 황달, 통풍을 의심합니다.

4-11
신사구체여과율검사

신장의 사구체에서 1분 동안에 혈액 몇 밀리리터^{mL}를 걸러내는가?

90~120mL/min	정상(기준치)
60~89mL/min	혈압조절, 운동요법, 식이요법의 실천이 필요
30~59mL/min	신장기능의 저하를 지연시키는 치료가 필요
15~29mL/min	투석 또는 신장이식 준비
15mL/min 미만	투석 또는 신장이식

신사구체여과율은 신장이 자신의 기능을 제대로 수행하고 있는지를 알아보는 수치로 "신장에 있는 사구체가 1분 동안에 걸러주는 혈액의 양"으로 측정합니다.

신사구체여과율은 복잡한 검사를 하지 않고 혈중 크레아티닌 농도, 나이, 성별을 입력하면 공식에 의해서 계산된 수치가 나옵니다.

정상적인 성인의 신장에서는 1분 동안 90~120mL의 혈액을 걸러서 깨끗한 혈액으로 만듭니다. 이와 같은 속도로 혈액을 거르면 하루에 약

120~180mL의 혈액을 걸러서 깨끗하게 정화할 수 있습니다.

신장이 손상되어 신사구체여과율이 3개월 이상 60mL/min 이하를 유지하면 만성 신장병에 걸렸다고 판정합니다. 신사구체여과율은 한 번 나빠지면 회복되지 않고 점점 더 나빠지기만 합니다. 그러다가 15mL/min 까지 떨어지면 신장이식을 하거나 투석을 해야 합니다.

그러므로 신사구체여과율이 60~89mL/min일 때 혈압조절, 식이조절, 운동요법 등 할 수 있는 방법을 모두 동원해서 더 떨어지지 않도록 해야 합니다. 만성 신장병환자의 약 50%는 당뇨가 원인이고, 약 20%는 고혈압, 약 10%는 사구체염증이 원인입니다. 그러므로 당뇨와 고혈압을 잘 다스리면 신장병의 위험에서도 벗어날 수 있습니다.

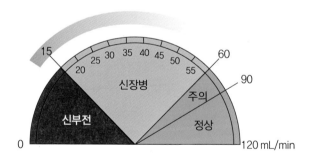

❖ 신사구체여과율

4-12
혈중 요소질소검사

혈액 1데시리터^{dL} 안에 요소질소가 몇 밀리그램^{mg} 들어 있나?

8.0~20.0mg/dL	정상
40mg/dL 이상	신부전증을 의심
100mg/dL 이상	요독증尿毒症, 탈수증, 소화기관에서의 대량 출혈, 요로질환을 의심

혈액 안에 있는 요소질소blood urea nitrogen : BUN는 단백질이 몸안에서 분해된 뒤 최종적으로 생기는 부산물입니다. 정상인은 혈중 BUN 농도가 10~26mg/dL이지만, 신장기능이 나빠지면 혈액 속의 요소를 소변으로 배출하지 못하기 때문에 BUN 농도가 100mg/dL로 증가할 때도 있습니다.

혈중 요소질소검사 결과가 정상치보다 높다고 해서 신장에 이상이 있다고 판단하기는 어렵고, 크레아티닌검사나 요단백검사를 다시 해봐야 합니다.

다음은 신장에 이상이 없는데 혈중 요소질소 수치가 올라가는 경우입니다.

☞ 위나 소장 등 소화관에서 출혈이 있을 때피와 함께 나온 단백질이 암모니아로 변함

☞ 땀을 많이 흘려서 탈수상태가 되었을 때

☞ 이뇨제를 사용해서 체내 수분이 많이 제거되었을 때

☞ 화상을 입었을 때

신장의 구조와 기능

손을 옆구리에 대고 아래로 밀면 잡히는 뼈장골능와 간 사이에 신장콩팥이 있습니다. 그리고 심장이 펌프하는 혈액의 약 20% 이상이 신장으로 들어갑니다.

신장의 내부는 네프론nephron이라고 부르는 수백만 개의 미세한 콩팥단위가 모여 있습니다. 아래 그림은 네프론의 구조입니다.

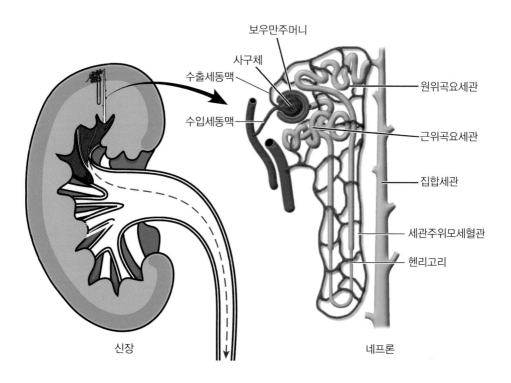

보우만주머니

사구체

수출세동맥

수입세동맥

원위곡요세관

근위곡요세관

집합세관

세관주위모세혈관

헨리고리

신장　　　　　　　　　　　네프론

❖ 신장과 네프론의 구조

신콩팥소체

보우만주머니와
그 안에 들어 있는
사구체토리와 수입 ·
수출세동맥을 합쳐
'신소체콩팥소체'라고
합니다.

혈액이 사구체로
들어가는 수입동맥

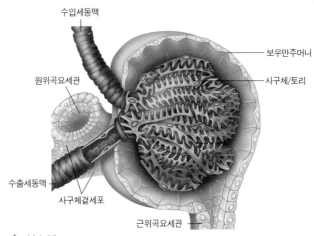

수입세동맥

보우만주머니

사구체/토리

원위곡요세관

수출세동맥

사구체곁세포

근위곡요세관

❖ 신소체

들세동맥은 굵고, 사구체에서 밖으로 나가는 수출동맥날세동맥은 가늘기 때문
에 사구체를 흐르는 혈액은 압력이 높고 속도가 빨라질 수밖에 없습니다.

요세관

아주 얇고 가는 혈관에 압력이 높은 혈액이 흐르기 때문에 혈액의 액체
성분 중 상당량이 혈관 밖으로 스며나오는데, 그 액체를 '사구체여과액토리
거른액'이라고 합니다. 여과액이 사구체 밖으로 흘러나가는 관을 '요세관콩팥
세관'이라 하고, 요세관은 다시 근위곡요세관proximal convoluted tubule, 토리쪽곱슬
요세관, 헨레고리콩팥세관고리, 원위곡요세관distal convoluted tubule, 먼쪽곱슬요세관,
집합세관collecting tubule으로 구분됩니다. 앞 페이지의 신장과 네프론의 구조 참조

그리고 사구체토리에서 나온 수출세동맥날세동맥이 다른 곳으로 가버리지

않고 계속 요세관을 따라가며 얽혀 있는 혈관을 '세관주위 모세혈관'이라 합니다. 세관주위 모세혈관의 일부는 동맥이고, 일부는 정맥입니다.

소변의 생성

콩팥에 있는 수백만 개의 네프론들은 여과→재흡수→분비의 과정을 거쳐 소변을 만듭니다.

사구체 안에 있는 모세혈관은 압력이 높기 때문에 혈액의 수분과 녹아 있는 물질을 보우만주머니로 밀어내는데, 이 작용을 '여과'라고 합니다. 사구체를 흐르는 혈액의 압력이 어느 수준 이하로 낮아지면 여과 과정이 멈추어버립니다. 예를 들어 출혈이 심하면 혈압이 떨어져서 여과가 안 되기 때문에 소변이 생성되지 않습니다.

사구체에서 여과되어 혈관 밖으로 나갔던 여과액 중에서 인체에 유용한 물·영양분·나트륨과 같은 이온이 다시 흡수되어서 혈액으로 돌아오는 작용을 '재흡수'라고 합니다. 하루에 여과한 180L 중에서 99%인 178L가 재흡수되고, 나머지 약 2L만이 소변으로 배설됩니다.

요세관 주위에 있는 모세혈관의 혈액에서 원위곡요세관과 집합세관 안으로 물질이 이동하는 작용을 '분비'라고 합니다. 분비는 재흡수와 반대되는 작용으로 과도한 칼륨이온과 수소이온, 페니실린이나 수면제와 같은 약물, 요소·요산·크레아틴과 같은 노폐물들을 혈액에서 제거하는 역할을 합니다.

배뇨

양쪽 신장의 집합세관에서 나온 소변은 신배^{콩팥술잔}와 신우^{콩팥깔때기}를 거쳐 요관을 따라 밑으로 내려온 다음 방광으로 들어갑니다.

방광의 벽에는 탄성섬유와 민무늬근육^{평활근}이 있어서 방광에 들어 있는 소변의 양이 많으면 적절히 늘어나고, 적으면 줄어듭니다. 그리고 방광을 비우기 위해 민무늬근육이 스스로 수축할 수도 있습니다.

두 개의 요도괄약근^{내·외요도괄약근}이 방광으로부터 나오는 통로를 막고 있습니다. 안쪽에 있는 내요도괄약근^{안쪽요도조임근}은 민무늬근육으로 되어 있고, 바깥쪽에 있는 외요도괄약근^{바깥요도조임근}은 가로무늬근육으로 되어

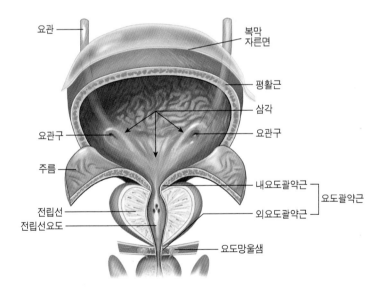

✤ 방광의 구조와 위치

있습니다. 여자의 요도괄약근은 요도의 1/3 지점을 조이고, 남자의 요도괄약근은 전립선 바로 밑에 있는 요도를 조이고 있습니다.

방광에 소변이 모이면 배뇨반사에 의해서 방광벽에 있는 근육이 수축하고, 내요도괄약근이 이완됩니다. 그러면 소변이 요도를 따라 아래로 흘러가서 외요도괄약근이 있는 지점에 도달합니다.

외요도괄약근은 수의적으로 조절되는 가로무늬근육이기 때문에 배변이 일어나지 않고, 의도적으로 이완시키면 배뇨가 이루어집니다.

신장의 기능을 요약하면 다음과 같습니다.

노폐물 제거	혈액에 들어 있는 노폐물을 끊임없이 제거하여 혈액을 정화시킵니다.
수분 조절	몸의 수분과 염분의 양을 조절하며, 전해질의 균형을 유지합니다. 우리의 몸이 약 알칼리성을 유지하도록 조절합니다.
혈압 조절	혈압 조절에 필요한 호르몬을 분비합니다. 신장이 나빠지면 혈압이 상승합니다.
호르몬 기능	적혈구를 골수에서 만들도록 자극하는 호르몬을 분비합니다. 뼈를 튼튼하게 하는 비타민 D를 활성화시킵니다.

투석

인공신장은 반투막을 이용하여 혈액세포처럼 크고 확산되지 않는 입자와, 요소나 다른 노폐물처럼 작고 확산되는 입자를 분리해서 노폐물을 제거하는 기계장치입니다.

그림을 보면 요골동맥에서 나온 혈액이 탱크처럼 생긴 용기에 들어 있는 다공성 셀로판 튜브^{반투막}를 지납니다. 반투막에는 아주 작은 구멍이 뚫려 있어서 요소분자처럼 작은 분자만 투석액 속으로 빠져나가고 큰 분자와 혈액세포들은 빠져나가지 못합니다.

투석탱크 안에 있는 투석액을 계속해서 새로운 투석액으로 바꾸어주면 노폐물질의 농도를 낮출 수 있습니다. 그 결과 혈액 속에 있는 요소와 같은 노폐물이 투석액으로 계속해서 빠져나가게 됩니다.

최근 만성 신장병환자를 치료하는 새로운 방법으로 복강에 투석액을 주입했다가 빼내는 CAPD가 개발되었습니다.

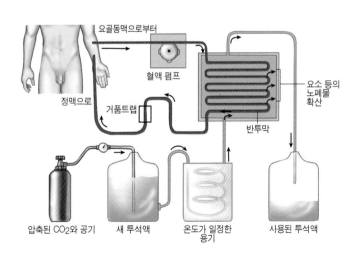

요골동맥으로부터

혈액 펌프

정맥으로

거품트랩

요소 등의 노폐물 확산

반투막

압축된 CO_2와 공기

새 투석액

온도가 일정한 용기

사용된 투석액

PART

05

혈액검사

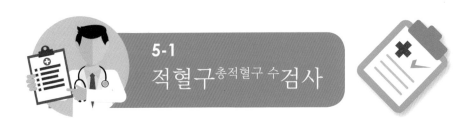

혈액 1마이크로리터㎕ 안에 적혈구가 몇 만 개 있나?

정상	남 440~560만 개/㎕ 여 400~520만 개/㎕
적혈구증가증	7,000만 개/㎕ 이상
빈혈	300만 개/㎕ 미만

적혈구는 살아 있는 세포이지만 세포핵이 없고 그 모양도 일정하지 않습니다. 적혈구는 구멍이 없는 단추와 비슷한 모양으로 표면적이 매우 넓어서 산소와 이산화탄소의 교환이 잘 이루어집니다.

적혈구에 있는 헤모글로빈은 산소와 결합하여 산화헤모글로빈을 만들고, 이산화탄소와 결합하여 카바미노헤모글로빈을 만들기 때문에 많은 양의 산소와 이산화탄소를 운반할 수 있습니다.

5-2 헤마토크리트검사

전체 혈액 중에서 헤마토크리트^{적혈구용적률}가 차지하는 부피가 몇 %인가?

정상 기준치	남 39~50%	여 36~47%
적혈구증가증	70% 이상	수치가 높으면 땀을 심하게 흘림, 설사, 탈수 때문에 혈압이 농축된 것을 의심
빈혈	30% 미만	수치가 낮으면 철결핍성 빈혈^{특히 여성}, 악성 빈혈, 백혈병 등을 의심

혈액을 원심분리기로 분리하면 약 45%가 적혈구로 구성되어 있어야 합니다. 빈혈이 있는 피검자는 적혈구의 비율이 낮고, 적혈구증가증이 있는 피검자는 적혈구의 비율이 극심하게 높습니다.

헤마토크리트^{Hct : hematocrit} 수치는 신생아, 젖먹이, 생리 직전의 여성은 높고, 노인과 임산부는 낮습니다. 하루 중에도 아침에는 높고 초저녁에는 낮은 경향이 있습니다. 그러므로 측정 시간도 수치에 영향을 미칩니다.

탈수증상이 생기면 헤마토크리트 수치가 높아집니다. 그밖에 선수들이 고지훈련을 하거나 자가혈액도핑^{평소에 자신의 혈액을 뽑아 농축시켜 보관해두었다} ^{가 시합 당일에 자기 자신에게 주사하는 것}을 해도 크게 증가합니다.

5-3
백혈구^{총백혈구 수}검사

혈액 1마이크로리터㎕ 안에 백혈구가 몇 개 들어 있나?

정상	5,000~9,000개/㎕	
백혈구증가증	10,000개/㎕ 이상	급성 편도염, 급성 폐렴, 담낭염, 신우신염, 충수염, 세균성 감염, 수술 후 감염 등을 의심
백혈구감소증	4,500개/㎕ 미만	빈혈, 방사선 피해, 항암제 부작용 등을 의심

대부분의 백혈구는 하나의 세포에 세포핵이 2개 이상 있습니다. 호중구, 호산구, 호염기구와 같은 과립백혈구는 3~4일 살다가 죽지만, 단핵구나 림프구와 같은 비과립백혈구는 약 6개월 이상 삽니다.

백혈구는 신체의 조직 안에 생긴 암세포로부터 신체를 방어하고, 체내에 침범해서 살고 있는 미생물로부터 신체를 방어하는 역할을 합니다.

정상적인 혈액 1㎕에는 약 5,000~9,000개의 백혈구가 들어 있습니다. 그중 호중구가 약 65%, 림프구가 약 25%로 거의 대부분을 차지하고, 나머지는 단핵구, 호산구, 호염기구 순으로 많습니다.

백혈구는 종류에 따라서 기능이 다르기 때문에 백혈구가 총 몇 개가 있는지도 중요하지만, 전체 백혈구 중에서 어떤 종류의 백혈구가 몇 %를 차지하느냐 하는 비율^{백혈구의 종류별 백분율}도 중요합니다.

호중구

세균이나 바이러스와 같은 항원이 체내에 들어오면 즉각 그 부위로 달려가서 체내에 들어온 항원을 먹어서 분해해버립니다. 대부분의 세균은 호중구의 포식작용으로 해결되지만, 바이러스는 이기지 못합니다.

> **호중구가 많으면** 감염증, 외상, 심근경색, 만성골수성 백혈병 등을 의심할 수 있습니다.

> **호중구가 적으면** 패혈증, 급성 백혈병, 장티프스 등을 의심할 수 있습니다.

림프구

세균이나 바이러스와 같은 항원이 체내에 들어오면 항체를 만들어서 대항합니다. 즉 면역기능을 발휘합니다.

> **림프구가 많으면** 바이러스감염, 갑상선기능항진증, 부신의 이상 등을 의심할 수 있습니다.

> **림프구가 적으면** 악성 림프종, 암, 백혈병 등을 의심할 수 있습니다.

단핵구 대식세포

항원을 계속 먹어서 죽여버립니다. 호중구가 먹고 남긴 세균들을 뒤처리합니다.

> **단핵구가 많으면** 결핵, 매독, 홍역 등을 의심할 수 있습니다.

호산구	알레르기성 질환, 기생충병, 호지킨병에 감염되면 증가합니다. **수치가 낮으면** 쿠싱증후군p.50 참조을 의심할 수 있습니다.
호염기구	알레르기나 혈관 확장에 관여합니다. **수치가 높으면** 만성 골수성백혈병이나 갑상선기능서하증을 의심할 수 있습니다.

백혈병

'어려서 제대로 성숙하지 못한 백혈구^{유약백혈구}'가 비정상적으로 많이 있는 상태를 '백혈병'이라고 합니다. 어떤 원인에 의해서 유약백혈구의 수가 크게 증가하면 정상적인 백혈구와 적혈구가 증식할 수 없게 됩니다. 보통 혈액 1μL당 5~9천 개인 백혈구가 10만이나 20만, 때로는 1,000만 개로 증가되는 병입니다.

정상적인 백혈구의 수가 감소하면 면역력이 떨어지고, 정상적인 적혈구의 수가 감소하면 빈혈이 생기며 영양분이 제대로 공급되지 않습니다.

여러 종류의 백혈구 중 골수^{적색뼈속질}에서 만들어지는 골수아구^{백혈구의 새끼}가 너무 많으면 골수성 백혈병, 림프절에서 만들어지는 림프아구^{림프구의 새끼}가 너무 많으면 림프성 백혈병이 됩니다.

백혈병은 백혈병 세포가 사라지더라도 완전히 다 없어지지 않고 일부 남아 있는 특성이 있기 때문에 재발이 잘 됩니다.

5-4
혈소판검사

혈액 1마이크로리터ᵘᴸ 안에 혈소판이 몇 만 개 들어 있나?

13~40만 개/μL	정상(기준치)
1만 개/μL 미만	충격이 없어도 출혈 가능. 안정이 필요
2만 개/μL 이하	생명이 위험
3만 개/μL 이하	장출혈이나 혈뇨
5만 개/μL 이하	코피가 잘 나고, 멍이 잘 듦
10만 개/μL 이하	혈소판 감소증
40만 개/μL 이상	혈소판 과다증
100만 개/μL 이상	혈전 형성이 용이. 항응고제 투여

혈소판은 혈액이 응고될 때 가장 핵심적인 역할을 합니다.

혈관에 상처가 생겨서 매끄럽던 혈관속벽에 거친 지점이 생기면 혈관속벽의 세포들이 혈장혈액의 액체성분 안으로 응고인자를 방출함과 동시에 끈적끈적해진 혈소판들이 상처 부위에 모여들어 터진 구멍을 막는 마개플러그를 만듭니다.

분비된 응고인자들은 몇 단계를 거쳐서 섬유소의 일종인 피브린을 만듭니다. 피브린과 혈소판 그리고 적혈구가 뒤엉켜서 생긴 혈병^{피떡}은 상처난 혈관을 오랫동안 막아주는 역할을 합니다.

간혹 심장·뇌·허파 등 생명을 유지하는 기관에서 혈관이 찢어지지 않았는데 혈병이 생기는 경우가 있습니다. 생긴 자리에 그대로 있는 혈병을 혈전^{血栓}, 생긴 자리를 벗어나 혈류를 타고 순환하는 혈병을 색전^{塞栓}이라고 합니다. 혈전이 생기는 원인에는 혈류의 느림, 응고 과다, 혈관 손상 등이 있습니다.

혈소판의 수가 감소하여 혈액 응고기능이 저하되면 출혈이 잘 멈추지 않습니다. 그러면 별것 아닌 충격에도 피하출혈^{피부밑 출혈}이 일어나서 파랗게 멍이 들고, 상처가 나면 출혈이 좀처럼 멎지 않고, 코피를 자주 흘리고, 만성 출혈로 인한 빈혈이 생깁니다.

혈소판의 수가 너무 많아지면 혈액이 응고되기 쉽고, 혈액이 응고된 혈전이 혈관을 막아버리기 때문에 뇌경색이나 심근경색의 가능성이 높아집니다.

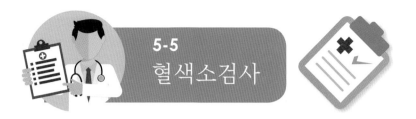

5-5
혈색소검사

혈액 1데시리터^{dL} 안에 혈색소가 몇 밀리그램^{mg} 들어 있나?

정상	남자 13~16.5mg/dL　여자 12~15.5mg/dL
주의(높음)	남자 16.6~17.5mg/dL 여자 15.6~16.5mg/dL
주의(낮음)	남자 12~12.9mg/dL　여자 11~11.9mg/dL
다혈증	남자 17.6g/dL 이상　　여자 16.6g/dL 이상
빈혈	남자 12mg/dL 이하　　여자 11mg/dL

★ 임신 중일 때와 고산지대에서는 혈색소 수치가 약간 증가합니다.

　적혈구는 철분인 헴^{heme}과 단백질인 글로빈^{globin}이 골수에서 결합되어 만들어진 빨간 색소^{헤모글로빈}로 구성되어 있습니다. 빨간 색소 때문에 피가 빨갛게 보입니다. 이 빨간 색소는 산소와 쉽게 결합할 수도 있고 쉽게 분리될 수도 있기 때문에 산소를 허파꽈리^{폐포}에서 받아서 조직세포로 운반하는 역할을 합니다.

혈색소 수치 기준은 남자가 13~16.5mg/dL, 여자가 12~15.5mg/dL이고, 기준치보다 1mg/dL 정도가 많거나 적으면 주의해야 할 수준입니다. 주의해야 할 수준을 넘겨서 많으면 다혈증, 적으면 빈혈로 판정합니다.

전체 빈혈의 약 70%가 철결핍성 빈혈인데, 여성 10명 중 1명 꼴로 철결핍성 빈혈을 앓고 있습니다. 철결핍성 빈혈의 원인은 위나 십이지장의 궤양 또는 암으로 인한 소화관 출혈, 월경에 의한 출혈, 편식에 의한 철분섭취 부족, 임신에 의한 철 수요량의 증대 등입니다.

혈색소 수치가 너무 낮으면 산소 공급이 잘 안 되어서 '빈혈'과 '어지럼증'이 생깁니다. 철분 부족으로 헤모글로빈이 충분히 생성되지 못할 때에는 간, 참치, 미나리, 깨, 양배추, 두부 등을 섭취하면 좋습니다.

출혈이 많은 병에 걸리거나 엽산과 비타민 B_{12}가 부족해도 혈색소 수치가 떨어집니다. 이때에는 계란 노른자, 아스파라거스, 부추 등을 섭취하면 좋습니다.

혈색소 수치가 너무 높으면 혈액 안에 혈색소가 너무 많기 때문에 혈액이 걸쭉해져서 흐름이 원활하지 못합니다. 그리고 고혈압, 눈의 충혈, 장출혈, 혈전생성 등의 부작용이 생길 가능성이 높은 '다혈증'이 됩니다. 다혈증 진단이 나오면 오메가 3가 많이 함유된 등푸른 생선을 섭취하면 좋습니다. 동시에 유산소운동, 식이조절, 금연 등을 통해 혈당을 조절해야 합니다.

5-6
혈당검사

혈액 1데시리터dL 안에 포도당글루코스이 몇 밀리그램mg 들어 있나?

정상	공복 : 80~99mg/dL	식후 2시간 : 140mg/dL 미만

주의	공복 : 100~125mg/dL	식후 2시간 : 140~199mg/dL

생활습관을 개선하고, 정기적 혈당검사와 식후혈당검사를 받아야 합니다.

고혈당	공복 : 126mg/dL 이상	식후 2시간 : 200mg/dL 이상

당뇨병, 스트레스, 폭음 폭식, 운동부족, 비만 등을 의심

저혈당	70mg/dL 이하

인슐린노마, 갈락토스혈증, 에디슨병, 부신이나 뇌하수체기능 저하 등을 의심

　혈액 안에 포도당글루코스이 얼마나 포함되어 있는지 검사하는 것이 '혈당검사'입니다. 혈당검사 방법에는 '공복혈당검사'와 '식후식후 2시간혈당검사'의 2가지가 있습니다.

　공복혈당검사는 저녁 식사 후 아무것도 먹지 않는 상태를 8~12시간 유

지한 다음 채혈해서 혈당치를 검사하는 방법이고, 식후혈당검사는 8시간 이상 금식한 상태에서 75그램 또는 100그램의 포도당 용액을 마신 뒤 30분마다 채혈해서 3시간까지 검사하는 방법입니다. 식후혈당검사를 '경구당부하검사'라고도 하는데, '입을 통해서 당분을 부하한 다음에 행하는 검사'라는 뜻입니다.

혈당치는 '어떤 음식을 섭취했느냐?', '혈액을 채취한 시간과 음식을 섭취한 시간의 차이가 얼마인가?' '어떤 활동을 했느냐?'에 따라 수치가 크게 변동되기 때문에 정확한 측정 결과를 얻으려면 '혈액을 채취하기 전에 지켜야 할 행동요령'을 잘 지켜야 합니다.

세계보건기구WHO에서 발표한 혈당치의 정상 범위가 있지만, 나라마다 그 적용 범위가 조금씩 다릅니다. 예를 들어 우리나라에서는 주의해야 할 수치라고 하는데, 미국에서는 정상 수치인 경우가 있습니다. 이는 문화와 생활습관의 차이 때문으로 볼 수 있습니다.

공복혈당검사를 하면 정상인은 100mg/dL 미만입니다. 126mg/dL 이상은 당뇨병으로 진단합니다. 그 사이의 값을 갖는 사람은 공복혈당 장애로 판정하는데, '당뇨병이 발병될 위험성이 높다.'는 뜻입니다.

식후혈당검사에서 2시간 후에도 혈당치가 200mg/dL 이상이면 당뇨, 140~199mg/dL이면 '주의' 또는 '당내성내당능장애 의심', 140mg/dL 미만이면 '정상'입니다. 하지만 당뇨병으로 진단할 때는 한 번의 혈당검사로는 부족하고, 2회 반복 측정하여 기준을 만족시키면 당뇨병으로 진단합니다.

우리 몸은 혈액 속의 포도당이 일정하게 유지되도록 신경 및 내분비계가 지속적으로 조절하기 때문에 정상인의 공복혈당은 70mg/dL 이하로 떨어지지 않습니다. 혈당이 40mg/dL 이하로 떨어지면 졸립고, 30mg/dL 이하까지 떨어지면 경련이 시작되고, 10mg/dL 이하가 되면 사망합니다.

혈당치가 높다고 활력이 생기는 것은 아닙니다. 고혈당이 지속되면 혈액은 질척질척한 상태가 되고, 남아도는 포도당이 혈관을 가득 채워서 신경장애를 일으키며, 당뇨병의 3대 합병증망막증, 신증, 신경장애이 나타납니다.

당뇨병

당뇨병은 인슐린의 작용이 충분하지 못해서 혈당치가 높아지는 대사증후군으로 갈증, 다음, 다뇨, 피로감, 체중감소 등을 일으킵니다.

당뇨병은 그 원인에 따라 제1형당뇨병과 제2형당뇨병으로 나눕니다.

제1형당뇨병은 췌장에서 인슐린을 분비하지 못해서 생기는 병입니다. 그리고 제2형당뇨병은 췌장에서 인슐린을 약간 분비하기는 하지만, 여러 가지 원인에 의해서 인슐린에 대한 저항성인슐린이 기능을 제대로 발휘할 수 없도록 저항하는 성질이 증가하였기 때문에 생기는 병입니다.

제1형당뇨병은 어린 시절에 생기는 일이 많기 때문에 소아당뇨병, 제2형당뇨병은 성인이 된 다음에 생기는 일이 많기 때문에 성인당뇨병이라 합니다. 그러나 발생시기로 당뇨병을 구별하기는 어렵고, 인슐린 분비 정도와 인슐린 저항성을 평가해보아야 확실하게 알 수 있습니다.

제1형당뇨병은 갑자기 발병하고 자가면역질환이나 바이러스 감염으로 췌장에 이상이 생긴 것이고, 제2형당뇨병은 유전적인 경향이 강하고 비만이나 노화와 같은 환경적 요인에 의해 서서히 발병됩니다.

당뇨병의 3대 합병증은 다음과 같습니다.

망막증

우리나라에서 성인이 실명하는 가장 큰 원인이 당뇨성 망막증입니다. 망막에는 얇은 신경막으로 가는 혈관이 길게 뻗어서 두루두루 흐르고 있습니다. 혈당이 높은 상태가 오래 동안 지속되면 망막에 있는 혈관이 조금씩 헐어서 짧아집니다. 혈관이 헐면 그것을 다시 보충하려고 새로운 혈관이 생기지만, 새로운 혈관은 연약해서 쉽게 파괴되어버립니다. 그러면 망막박리 현상이 생겨서 실명하게 됩니다.

신증

투석요법으로 치료를 받고 있는 환자들에게 가장 많이 나타나는 합병증이 당뇨성 신증입니다. 혈당치가 높은 상태가 오래 지속되면 전신의 동맥경화가 진행되어 사구체에 있는 가느다란 혈관이 파괴되거나 찌글어져서 노폐물을 여과시킬 수 없게 되기 때문입니다.

신경장애

당뇨성 신경장애가 생기면 발의 감각이 마비되면서 상처가 있어도 잘 모릅니다. 그러면 상처를 방치한 결과가 되어 발에 궤양이나 괴저가 생기고, 급기야 발을 절단해야 하는 상황에 이릅니다.

대사증후군

만성적인 대사장애로 인하여 고혈압, 이상지질혈증, 비만, 죽상경화증 등의 여러 가지 질환이 한 사람에게 한꺼번에 나타나는 상태를 '대사증후군'이라고 합니다. 대사증후군이 있으면 심혈관질환이 발생할 위험이 2배 이상, 당뇨병이 발생할 위험이 10배 이상 증가한다고 합니다.

다음의 기준 중 3가지 이상을 가지고 있으면 대사증후군으로 진단합니다.

🐌 허리둘레 증가 : 남성 90cm, 여성 85cm 이상

🐌 혈압 상승 : 130/85mmHg 이상 또는 혈압약을 먹고 있는 경우

🐌 혈당 상승 : 공복혈당 100mg/dL 이상 또는 당뇨병을 치료 중인 경우

🐌 중성지방 상승 : 중성지방 수치가 150mg/dL 이상 또는 이상지질혈증 약을 먹고 있는 경우

🐌 HDL 콜레스테롤 감소 : HDL 콜레스테롤 수치가 남성 40mg/dL, 여성 50mg/dL 미만 또는 이상지질혈증 약을 먹고 있는 경우

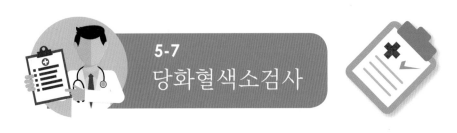

5-7
당화혈색소검사

포도당과 결합되어 있는 적혈구가 전체 적혈구의 몇 %나 되는가?

정상	5.7% 미만
주의	5.7~6.4%
높음	6.5% 이상

신부전, 만성 알코올중독, 태아헤모글로빈 증가, 당뇨병을 의심

당화혈색소와 혈당치의 관계

당화혈색소(%)	혈당치(mg/dL)	당화혈색소(%)	혈당치(mg/dL)
5.5	117	9	240
6	135	10	275
6.5	152	11	310
7	170	12	345
8	205		

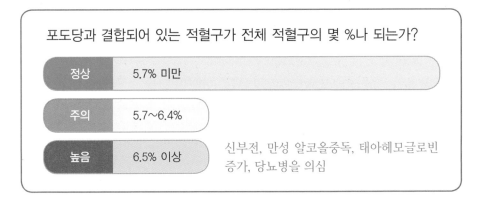

　　적혈구의 혈색소에는 포도당이 달라붙는 성질이 있어서 혈당의 농도가 진할수록 더 많은 양의 포도당이 혈색소헤모글로빈와 결합합니다. 그래서 포도당과 결합되어 있는 혈색소의 양을 측정하면 혈당의 수준을 알 수 있습

니다. 이 원리를 이용한 검사가 당화혈색소$^{Hb\ A1C}$검사입니다.

한 번 적혈구에 달라붙은 포도당은 그 적혈구가 파괴될 때까지 떨어지지 않기 때문에 당화혈색소검사를 하면 적혈구가 생존하는 약 3개월 동안의 평균 혈당 수준을 알 수 있습니다. 즉 공복혈당검사를 하면 혈액을 채취하는 순간의 혈당 수준을 알 수 있고, 당화혈색소검사를 하면 약 3개월 동안의 평균 혈당 수준을 알 수 있습니다.

그런데 간경변이나 빈혈이 있으면 적혈구의 수명이 짧아지기 때문에 당화혈색소 수치가 낮게 나옵니다. 이 경우에는 당화알부민을 사용하여 정확한 수치를 얻습니다.

당뇨병이 없는 정상인의 경우 보통 5.7% 미만의 당화혈색소가 존재하는데, 당뇨가 심할수록 수치가 올라갑니다. 당화혈색소가 6.5% 이상인 경우 당뇨로 진단할 수 있습니다. 따라서 당뇨병을 관리하려고 할 때에는 당화혈색소 수치를 6.5% 이하로 유지하는 것을 목표로 잡아야 합니다.

그러나 최근에는 피검자 개인의 특성을 고려해서 혈당 조절 목표를 설정하여 관리하는 법이 강조되고 있습니다. 예를 들어 젊고 합병증이 없는 사람은 당화혈색소 목표치를 더 낮추어 잡고, 반대로 나이가 많아서 저혈당에 대한 대처가 어려운 사람은 당화혈색소 목표치를 다소 높여 8% 정도로 설정합니다.

혈당치가 높으면 왜 나쁜가?

혈액이 질척질척해집니다

당뇨병은 혈액을 질척질척한 설탕시럽과 같은 상태로 변화시키는 병이라고 할 수 있습니다.

매실이나 복숭아를 진한 설탕물에 넣어두면 오래 보관해도 변하지 않습니다. 진한 설탕물 속에서는 세균이나 곰팡이가 활동할 수 없기 때문입니다.

그런데 인간의 세포를 진한 설탕물에 담궈서 활동할 수 없게 하면 어떻게 될까요? 인간의 세포가 살아 있으려면 끊임없이 신진대사가 일어나야 하는데, 활동을 중지하고 가만히 있다면 살아 있는 세포라고 할 수 없습니다.

단백질이 당화됩니다

혈액 속에 포도당이 많아지면 체내에 있는 여러 가지 성분들에 당분이 들러붙습니다. 그것을 '당화'라고 합니다.

세포의 형태를 만들고 있는 단백질이 당화되면 앞에서 설명한 진한 설탕물 상태가 됩니다. 그러면 세포가 본래의 기능을 발휘할 수 없게 되고, 활성산소를 증가시킵니다.

단백질의 당화가 진행되면 될수록 활성산소가 체내에 점점 더 쌓여 온몸에 나쁜 영향을 미칩니다.

효소의 활동이 저하됩니다

세포가 활동하려면 효소라는 물질이 필요합니다. 즉 우리가 살아가기 위해서는 반드시 효소가 필요합니다.

위에는 소화효소가 있고, 간에는 알코올을 분해하는 효소가 있으며, 뇌와 근육과 신장에도 효소가 있습니다.

혈당치가 높으면 효소의 작용이 억제됩니다. 효소가 작용하지 않으면 세포 안으로 영양분을 보낼 수 없게 되어 세포들이 영양부족으로 죽어버립니다.

혈전이 생기기 쉽습니다

혈당치가 높아지면 혈소판에 들어 있는 응집소가 비정상적으로 많아져서 혈액이 응고되기 쉬운 상태가 됩니다. 또 혈액응고를 예방하는 항응집소의 작용이 저하됩니다. 즉 혈당치가 높으면 모세혈관의 벽을 이루고 있는 세포가 파괴되고, 그 안에 흐르는 혈액이 응고되기 쉬운 상태가 되어 모세혈관에 혈전이 생기기 쉬워지고, 모세혈관에 혈전이 생기면 세포가 모두 괴사하는 사태가 벌어집니다.

망막이나 사구체에 있는 모세혈관이 찢어져서 세포가 괴사하면 실명하거나 투석을 해야 하는 상황으로 이어집니다.

인체의 혈당조절 메커니즘

사람의 '혈액 중에 있는 포도당^{혈당}'은 생명유지를 위한 에너지원으로 사용됩니다. 장에서 소화·흡수된 포도당의 일부는 간에 글리코겐으로 저장되고, 나머지는 혈액을 통해 뇌·근육·지방조직 등으로 보내집니다. 보내진 포도당의 일부는 근육과 뇌에서 에너지원으로 소비되고, 또 다른 일부는 근육 내에 글리코겐 또는 근육단백질로 저장되며, 그래도 남는 포도당은 지방조직 안에 중성지방으로 저장됩니다.

한편 공복 시에는 간에 저장했던 글리코겐을 포도당으로 분해해서 혈액 속으로 분비하거나, 근육에 저장했던 글리코겐을 다시 포도당으로 분해해서 에너지원으로 이용하거나, 지방조직에 저장했던 중성지방을 유리지방산과 글리세롤로 분해한 다음 혈액 안으로 분비하면 간에서 글리세롤을 다시 포도당으로 분해해서 뇌나 근육으로 보냅니다.

만약 오래 동안 식사를 하지 않아서 저장했던 글리코겐이나 중성지방이 바닥이 나면 근육단백질이 아미노산으로 분해되어 혈액 속으로 분비되면 간은 이것을 포도당으로 만들어 에너지원으로 이용합니다.

간·근육·지방조직이 혈당조절에 깊이 관여하고 있지만, 그러한 기능을 조절하는 것은 호르몬입니다. 혈당을 조절하는 호르몬에는 혈당치를 올려주는 호르몬과 내려주는 호르몬이 있습니다. 혈당치를 올려주는 호르몬에는 글루카곤, 성장호르몬, 코티졸, 카테콜아민 등이 있고, 혈당치를 내려주는 호르몬은 인슐린 단 하나뿐입니다.

인슐린은 근육이나 뇌에서의 포도당 소비를 촉진할 뿐 아니라 포도당을 글리코겐으로 만들어서 간과 근육에 저장하는 작용, 중성지방으로 만들어서 지방조직에 저장하는 작용, 근육단백질로 만들어서 근육을 튼튼하게 만드는 작용을 모두 돕기 때문에 혈액 속의 포도당 수치를 효과적으로 낮출 수 있습니다.

한편 글루카곤과 카테콜아민은 글리코겐을 분해해서 포도당으로 만들거나, 글리세롤을 이용해서 포도당을 만드는 작용을 통해 혈당치를 올려줍니다.

인슐린은 췌장에 있는 랑게르한스섬 β 세포에서 분비되고, 혈당치를 올려주는 호르몬들은 대부분 부신피질에서 분비됩니다. 이때 췌장과 부신피질에서 호르몬을 분비할지 말지를 조절하는 호르몬은 뇌하수체에서 분비됩니다. 따라서 우리 몸의 호르몬 분비를 총괄해서 조절하는 기관은 뇌하수체라고 할 수 있습니다.

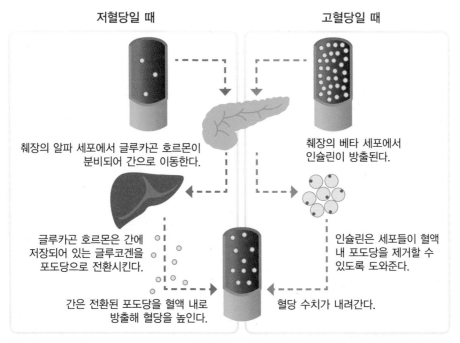

저혈당일 때

고혈당일 때

췌장의 알파 세포에서 글루카곤 호르몬이 분비되어 간으로 이동한다.

췌장의 베타 세포에서 인슐린이 방출된다.

글루카곤 호르몬은 간에 저장되어 있는 글리코겐을 포도당으로 전환시킨다.

인슐린은 세포들이 혈액 내 포도당을 제거할 수 있도록 도와준다.

간은 전환된 포도당을 혈액 내로 방출해 혈당을 높인다.

혈당 수치가 내려간다.

❖ 인체의 혈당조절

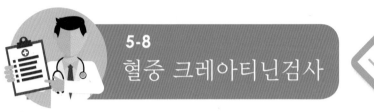

5-8
혈중 크레아티닌검사

혈액 1데시리터^{dL} 안에 크레아티닌이 몇 밀리그램^{mg} 들어 있나?

정상	남성 0.5~1.1mg/dL 여성 0.4~0.8mg/dL
높음	신장염, 신부전, 신장결석 등을 의심. 10mg/dL 이상이면 투석해야 합니다.
낮음	요붕증, 임신, 근위축증 등을 의심

　골격근이 수축할 때 관여하는 물질인 '크레아틴^{creatine}'이 분해되어 생기는 노폐물이 '크레아티닌^{creatinine}'입니다. 크레아티닌은 사구체에서 걸러지면 다시 흡수되지 않습니다. 따라서 혈중 크레아티닌검사는 사구체 기능의 정상 여부를 판단하는 기본 자료입니다.

　만약 혈액 속에 크레아티닌이 조금만 남아 있으면 사구체에서 노폐물을 잘 걸러내고 있다는 증거이고, 반대로 혈액 속에 크레아틴이 많이 남아 있으면 사구체가 노폐물을 제대로 걸러내지 못하고 있다는 증거입니다.

　크레아티닌은 남성이 여성보다 수치가 높습니다. 여성이 임신했을 때에는 태아를 기르기 위해 사구체의 여과작용이 평소의 1.5배 정도로 좋아지기 때문에 크레아티닌검사를 해봐야 별 의미가 없습니다.

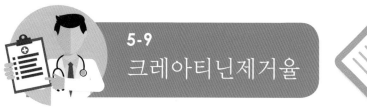

5-9
크레아티닌제거율

신장에서 1분 동안에 크레아티닌을 몇 밀리리터ᵐᴸ씩 제거하는가?

정상 기준치	남성 110±20mL/분 여성 100±20mL/분
낮음	경도 50~70mL/분 중간정도 30~50mL/분 고도 30mL/분 이하

혈액 속에 들어 있는 크레아티닌은 신장에서 걸러내서 소변으로 배설하기 때문에 혈중 크레아티닌과 뇨중 크레아티닌을 비교하면 신장의 사구체에서 얼마나 배설물을 잘 걸러내는지 알 수 있습니다. 2시간 또는 24시간 동안 신장을 통과하여 혈액 속에 들어 있는 크레아티닌 총량과 소변으로 배출된 크레아티닌 총량의 비율을 크레아티닌제거율이라 합니다.

크레아티닌제거율creatinine clearance : Ccr을 정확하게 계산하기 위해서는 뇨중 크레아티닌농도, 혈중 크레아티닌농도, 2시간 또는 24시간 동안의 소변배설량, 2시간 또는 24시간 동안 신장에서 여과한 혈액량 등을 측정해야 합니다. 그러나 너무 번거롭기 때문에 간편한 식을 이용해서 계산합니다.

CG(Cockcroft-Gault) 공식(여성은 이 값의 85%로 합니다.)

$$Ccr = \frac{(140-연령) \times 체중(kg)}{72 \times 크레아틴 수치(mg/dL)}$$

5-10
혈중 지질^{콜레스테롤}검사

혈액 1데시리터^{dL} 안에 콜레스테롤이 몇 밀리그램^{mg} 들어 있나?				
	총콜레스테롤	LDL콜레스테롤	HDL콜레스테롤	중성지방
정상	200mg/dL 미만	130mg/dL 미만	60mg/dL 이상	150mg/dL 미만
주의	200~239mg/dL	130~159mg/dL	40~59mg/dL	150~199mg/dL
위험	240mg/dL 이상	160mg/dL 이상	40mg/dL 미만	200mg/dL 이상

혈액에는 당질^{Glucide}과 단백질^{Protein}뿐 아니라 지방질^{Lipid}도 녹아 있습니다. 콜레스테롤^{cholesterol}이란 지방과 결합한 단백질로 '지단백^{지질단백질}'이라고도 하며, 우리 몸의 세포막이나 신경세포의 수초를 만드는 데에 꼭 필요한 물질입니다. 혈액 안에 지질이 너무 많아도 문제이지만, 너무 적어도 몸의 기능이 저하되어 장애를 일으킵니다.

콜레스테롤에는 저밀도 콜레스테롤^{low density lipoprotein : LDL}, 고밀도 콜레스테롤^{high density lipoprotein : HDL}, 중성지방^{트리글리세라이드}의 3종류가 있습니다.

저밀도 콜레스테롤은 혈관속벽에 붙어서 혈관을 막거나 동맥경화와 고혈압을 일으키는 원인과 밀접한 관련이 있습니다.

그러나 고밀도 콜레스테롤은 혈관속벽에 붙어 있는 저밀도 콜레스테롤을 간으로 회수하는 역할을 하므로 많을수록 좋습니다.

중성지방은 음식물로부터 공급되는 당질과 지방산을 재료로 간에서 합성됩니다. 열량섭취가 많아지면 중성지방이 더 많이 합성되어 체내에 축적되는데, 중성지방이 너무 많이 축적되면 비만이 되는 등 몸에 해롭습니다.

혈액 안에 지질 특히 중성지방과 저밀도 콜레스테롤이 너무 많으면 혈액이 끈적끈적해져서 잘 흐르지 못하기 때문에 이상지질혈증^{고지혈증}, 죽상동맥경화증, 관상동맥질환을 일으킬 위험성이 커집니다.

콜레스테롤 수치가 높다고 당장 무슨 병이 있는 것은 아니고, 콜레스테롤 수치의 정상범위가 모든 사람에게 똑같은 것도 아닙니다. 예를 들어 어린이나 노인은 콜레스테롤 수치의 정상범위가 성인과 다르고, 혈관질환이나 당뇨병 또는 심장병이 있는 사람은 보통 사람보다 콜레스테롤 수치를 더 낮게 유지해야 합니다. 같은 콜레스테롤 수치가 나와도 의사가 어떤 사람에게는 콜레스테롤 수치를 낮추는 약을 처방하고, 어떤 사람에게는 음식을 조금만 조심하면 괜찮다고 하는 이유가 여기에 있습니다.

콜레스테롤 수치가 높으면 기름진 음식이나 알코올 섭취를 삼가고, 신선한 채소와 해조류 섭취 및 유산소 운동을 병행해서 적정 수치를 유지하려고 노력해야 합니다.

간경변을 포함한 심한 간질환이 있으면 고밀도 콜레스테롤이 감소하고 고중성지방혈증이 발생합니다. 간세포부전증이나 영양결핍증이 있으면 콜레스테롤 합성이 저하되어 혈중콜레스테롤 수치가 떨어집니다.

콜레스테롤

콜레스테롤은 그림과 같이 제일 바깥층에는 친수성인 아포단백질로 구성된 막이 있고, 안쪽에는 소수성인 중성지방이 들어 있습니다. 중간에 들어 있는 콜레스테롤의  양이 많아서 퉁퉁하게 불어오른 것이 저밀도 콜레스테롤이고, 콜레스테롤의 양이 작아서 바싹 조여져 있는 것이 고밀도 콜레스테롤입니다.

고밀도 콜레스테롤이 많으면 장수증후군이라고 할 정도로 좋은 것이고, 저밀도 콜레스테롤이 활성산소에 달라 붙으면 동맥경화로 가는 지름길이라고 할 정도로 나쁜 것입니다.

콜레스테롤이라고 하면 대부분 몸에 좋지 않은 물질이라는 선입견을 갖고 있지만, 콜레스테롤은 세포막을 만들고, 혈관을 지탱해주며, 부신피질호르몬과 성호르몬을 만들고, 담즙을 만드는 데에 쓰이는 등 아주 중요한 역할을 하기 때문에 "콜레스테롤은 적을수록 좋다."라는 말은 성립되지 않습니다.

혈액의 구성성분

물질을 배송하고 외부 침입자를 물리치기도 하는 혈액은 체중의 약 8%를 차지합니다. 혈액의 액체성분을 혈장이라 하고, 혈장 안에서 떠돌아다니는 여러 가지 세포 또는 세포 조각들을 혈액의 고형성분이라고 합니다.

시험관에 들어 있는 혈액을 원심분리기로 분리하면 아래쪽에 가라앉아 있는 고형성분의 부피가 45%, 위에 떠 있는 액체성분^{혈장}의 부피가 약 55%입니다.

혈장^{액체성분}은 수분 91%, 그 속에 녹아 있는 단백질 7%, 기타 물질 2%로 구성되어 있습니다. 그리고 단백질 중 58%는 알부민, 38%는 글로불린, 4%는 섬유소원과 트롬빈입니다. 혈장의 2%를 차지하고 있는 기타 물질에는 영양물질, 노폐물, 비타민이나 호르몬과 같은 조절물질, 그리고 이온과 같은 전해질이 들어 있습니다.

고형성분에는 적혈구, 백혈구, 혈소판이 있습니다.

백혈구와 적혈구는 적색골수^{적색뼈속질}에서, 림프구는 림프조직에서 끊임없이 새로 만들어지며, 오래된 혈액세포들은 죽거나 파괴됩니다. 적혈구는 약 4개월 동안 몸속을 순환하다가 간과 지라^{비장}에서 파괴된 다음 분해되어 제거됩니다. 백혈구가 병균과 전투하다가 죽으면 사멸한 양보다 더 많이 만들어서 보충됩니다.

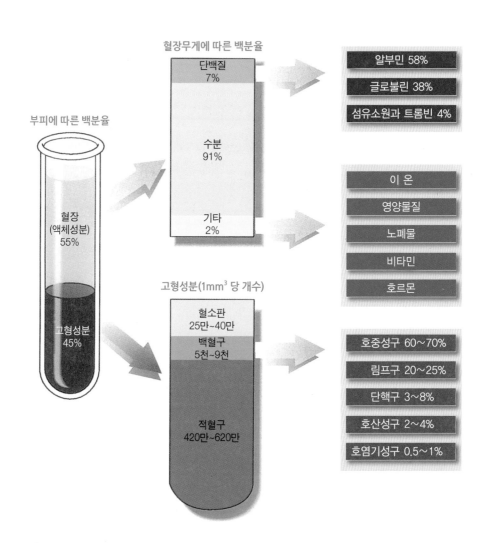

❖ 혈액의 구성성분

건강을 위해 밑줄 쫙~

혈액에 좋은 생활습관

반신욕

목욕은 혈액순환을 좋게 하고, 몸속 노폐물을 배출해줍니다. 그러나 40도 이상의 열탕은 혈액이 엉겨붙어 혈전이 생기는 것을 촉진시킬 수도 있으므로 좋지 않고, 38도 물에 배꼽 아랫부분만 담그는 반신욕이 가장 좋습니다.

물 마시기

체내에 수분이 부족하면 혈액이 끈적끈적해져서 혈액순환이 잘 안 됩니다. 이를 막기 위해서는 아침에 일어나자마자 체내에 흡수가 잘 되도록 미지근한 물을 한 잔 마시면 좋습니다.

오래 걷기

유산소운동은 혈액 속의 당을 소비하는 데 도움이 되고, 혈관벽에 찌꺼기가 쌓이는 것을 막는 효과도 있습니다. 혈액순환 효과는 달리기보다 걷기가 좋습니다. 하루 30~40분간 숨이 찰 정도의 속도로 걷는 게 좋습니다.

혈액에 좋은 음식

등푸른 생선 고등어·꽁치·삼치 같은 등푸른 생선을 먹으면 혈액이 깨끗해집니다. 등푸른 생선에 들어 있는 DHA는 혈액 속의 저밀도 콜레스테롤과 중성지방 수치를 낮추고, 몸에 좋은 고밀도 콜레스테롤 수치를 높입니다. EPA 성분은 혈소판의 응고 기능이 원활하도록 돕습니다.

굴 굴에 함유된 타우린taurine은 콜레스테롤을 분해하고 중성지방을 몸 밖으로 내보내는 역할을 합니다. 굴로 국을 끓이면 타우린이 국물로 빠져 나오므로 싱겁게 조리해서 국물까지 먹어야 좋습니다.

귤 귤에 들어 있는 비타민 P는 모세혈관 벽을 매끈하게 만들어 혈액이 잘 흐르도록 돕습니다. 귤의 껍질 안쪽에 붙어 있는 흰섬유질에 비타민 P가 많이 들어 있으므로 이 부분을 떼어내지 않고 먹어야 좋습니다.

당귀차 혈액 흐름을 좋게 만드는 당귀와 천궁으로 차를 끓여 마셔도 좋습니다. 물 500mL에 말린 당귀를 10g 정도 넣고 끓이거나, 물 700mL에 말린 천궁 5g을 넣고 끓여서 하루 한 잔씩 마시면 됩니다.

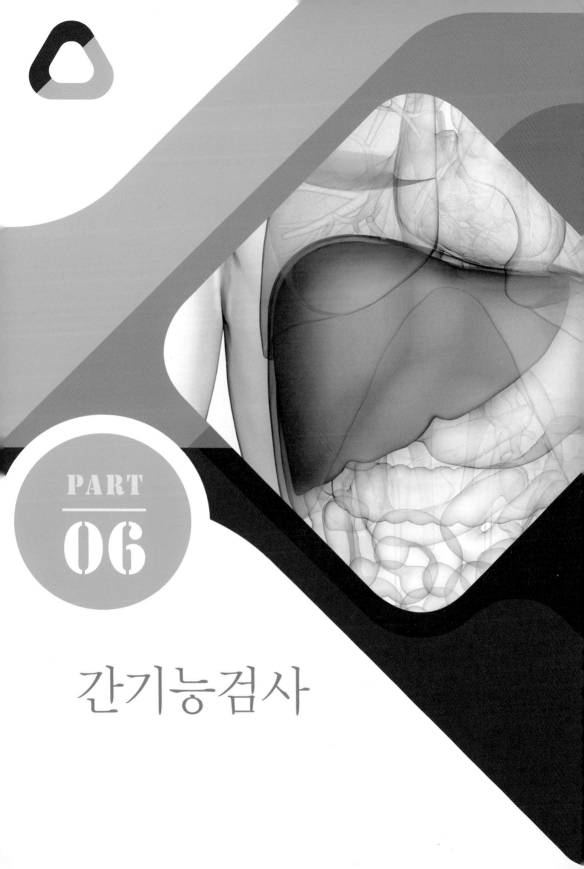

PART
06

간기능검사

간기능검사란?

간질환 유무를 알아보려면 혈액을 통해 간기능검사와 간염바이러스검사를 한 다음, 이상이 있는 경우 간초음파나 복부 CT검사 등을 합니다.

간기능을 평가할 수 있는 여러 검사들을 조합해서 하는 검사를 간기능검사라고 합니다. 어떤 검사를 하고 어떤 검사를 안 할 것인지는 대부분 담당의사의 판단에 따르지만, 간혹 어떤 검사를 하고 싶다고 요구하는 사람도 있습니다.

다음과 같은 증상 및 징후를 보이는 사람에게는 간기능검사를 권합니다.

🖐 허약함, 피곤함, 가려움증

🖐 원인 모를 체중 증가 또는 감소

🖐 복부팽만, 복통, 짙은 소변, 옅은 대변

🖐 식욕감퇴, 속이 불편함, 구토, 헛구역질

6-1
혈중 AST와 ALT 검사

혈청 1리터 안에 AST와 ALT가 몇 국제표준단위[IU] 들어 있나?	
정상 기준치	AST, ALT 모두 40 IU/L 미만
AST, ALT 모두 높음	급·만성 간염, 지방간, 알코올성 간염 등을 의심
AST < ALT	급성 간염, 약제성 간염, 지방간, 간경변 초기, 담즙저류 등을 의심
AST > ALT	만성 간염, 알코올성 간염, 간경변의 중기 이후, 원발성 간암, 용혈성 빈혈, 근위축증, 울혈성 심부전 등을 의심
AST와 ALT가 동시에 상승	간이상을 의심

간의 주요 기능 가운데 하나는 각종 효소를 합성해서 만들어내는 일입니다. 효소는 자신이 맡은 화학반응만 촉진시키고, 다른 화학반응에는 전혀 관여하지 않습니다.

간에서 만들어진 효소는 그 효소를 필요로 하는 조직이나 기관으로 보내지기 때문에 특정 조직이나 기관에는 특정 효소가 많이 들어 있고, 다른 조직이나 기관 또는 혈액 안에는 지극히 소량의 효소가 존재합니다.

　이렇게 효소를 합성하는 간에서는 우리 몸에서 화학반응이 가장 많이 일어납니다. 즉 간은 효소의 생산 공장이자 대량 소비처입니다. 그래서 간에는 효소들이 아주 많이 있습니다. 예를 들어 AST는 혈장의 약 7,000배, ALT는 혈장의 약 3,000배나 들어 있습니다.

　혈액검사를 해서 평소보다 어떤 효소가 많이 들어 있으면 간이나 그 효소를 필요로 하는 조직 또는 기관에서 세포가 파괴되고 있다고 봅니다. 왜냐하면 세포 안에서 화학반응이 빨리 일어나도록 도와야 할 효소가 세포 밖으로 나와서 혈액을 따라 이동하고 있다면 '세포가 파괴되었다'라고 말할 수밖에 없기 때문입니다.

　AST^{아스파테이트아미노전이효소}는 아스파라긴산을 분해해서 다른 종류의 아미노산으로 전이시키는 효소이고, ALT^{알라닌아미노전이효소}는 알라닌을 분해해서 다른 종류의 아미노산으로 전이시키는 효소입니다.

　이름의 앞 글자 2개인 AS와 AL은 각각 분해하는 물질을 나타내고, 뒤에 붙은 T는 전이효소^{물질의 분자 모양을 바꾸어서 다른 물질로 변화시키는 효소}를 뜻합니다.

　건강검진 기관에 따라서 AST를 GOT 또는 SGOT로, ALT를 GPT 또는 SGPT로 표시하기도 합니다. 이 명칭들도 모두 분해시키는 물질의 다른 이름의 약자에 T를 붙여서 전이효소라는 것을 나타냅니다. 그러나 현재는 AST와 ALT로 명칭이 통일되어가는 추세입니다.

AST와 ALT검사 결과의 해석

간염이나 약물 또는 알코올과 같은 독성물질로 인하여 간이 손상되면 AST나 ALT 수치가 크게 증가합니다. 그런데 AST나 ALT는 간에만 있는 효소가 아니기 때문에 수치 증가의 원인을 간손상으로 단정할 수 없다는 사실이 이 검사의 애로점입니다.

게다가 담관_{bile duct, 쓸개관}폐쇄 · 간경화 · 간암은 분명히 간세포가 파괴되는 병증임에도 불구하고 AST나 ALT 수치가 다소 증가하거나 정상에 가깝게 나올 수 있다는 데도 어려움이 있습니다.

다행히 AST나 ALT 수치 변화는 동시에 이루어지지 않고, 원인에 따라 AST와 ALT 둘 중 하나가 먼저 변화합니다. 예를 들어 급성 간세포 손상 초기에는 AST가 ALT보다 더 많이 증가하지만, 24~48시간 뒤에는 ALT가 더 높아집니다. 알코올성 간염에서는 AST가 더 증가하고, 만성 간세포 손상에서는 ALT가 더 높은 경우가 흔합니다. 이 외에 약물 복용, 비알코올성 지방간, 비만인 경우 ALT가 만성적으로 높을 수 있습니다.

그래서 검사 결과에 이상이 발견되면 그 원인을 구체화하기 위해 재검사를 합니다. 결과적으로 AST와 ALT 검사는 간염, 간에 독이 되는 약물, 간경변증, 알코올중독 등으로 인한 간손상을 발견하는 데 아주 유용한 검사입니다.

정상적인 사람은 혈액 1리터 안의 AST와 ALT 양은 각각 40 IU^{국제표}

준단위 이하입니다. 그 이상이 검출되면 어떤 원인에 의해 간세포 또는 신장·심장·근육에 있는 세포가 파괴되고 있다고 판단합니다.

AST와 ALT 수치가 높다고 해서 무조건 위험한 것은 아닙니다. 간염 없이 지방간만 있어도 이 수치가 높을 수도 있고, 알코올성 지방간이 아닌 경우는 식이요법과 운동요법만으로도 치료할 수 있기 때문입니다. 다만 간염인 경우 이 수치가 오래 동안 높은 상태를 지속하면 간경화로 발전할 가능성이 높으므로 주의해야 합니다.

비타민 B_6 결핍 시 간의 ALT 합성이 감소하고, 알코올성 간질환일 때는 AST와 ALT의 비율이 3~4 : 1 정도 됩니다. 급성 간세포손상 시에는 AST보다 ALT가, 만성 간세포 손상 시에는 AST보다 ALT가 더 높은 경우가 많습니다.

섬유화가 진행되어 간경변 상태에 이르면 ALT보다 AST가 더 높은 경우가 많고, 말기 간경변에서는 광범위한 간파괴로 인해 AST와 ALT가 높지 않고, 심지어는 감소할 수도 있습니다.

6-2
혈중 GGT검사

혈청 1리터 안에 GGT가 몇 국제표준단위[IU] 들어 있나?

정상	남자 8~61 IU/L 여자 5~36 IU/L
주의	남자 62~77 IU/L 여자 37~46 IU/L
높음	남자 78 IU/L 이상 여자 46 IU/L 이상

┈┈▶ 간질환알코올성 간장애, 급성 간염, 만성 간염, 약제성 간장애, 간경변, 간암, 담도질환담석, 담도암, 췌장질환, 심근경색 등을 의심

간의 중요한 기능 중 하나가 알코올과 같은 독성물질의 제거인데, 이를 위하여 간에서 만드는 효소가 GGT감마글루타민전이효소, 감마(γ)-GTP 입니다.

GGT는 간·신장·비장·췌장·혈액 등에 들어 있는 효소이지만, 대부분은 간에서 유래됩니다. 급성 간손상이나 담관손상을 일으키는 대부분의 질환이 나타나면 GGT 수치가 증가합니다.

그런데 GGT 수치 증가만으로는 어떤 간질환인지 구별할 수 없습니다. 따라서 GGT 수치도 다른 간기능검사 항목의 수치와 함께 종합적으로 판단

하여야 합니다.

GGT 수치를 증가시키는 원인에는 담도 및 간질환, 음주나 울혈성 심부전 등이 있습니다. GGT의 혈중 수치는 간기능 변화에 매우 민감합니다. 종양이나 담석으로 인해 담즙^{쓸개즙}을 소장으로 이동시키는 담도가 막혔을 때 가장 먼저 증가하는 효소가 GGT이기 때문에 담도 폐쇄를 찾아내는 가장 확실한 검사가 혈중 GGT 검사입니다.

GGT 수치가 높으면 간에 이상이 있을 가능성이 높고, 과음이나 과식 또는 쓸개즙이 이동하는 통로에 이상이 있어도 GGT 수치가 올라갑니다. 그밖에도 몇 가지 약^{향정신성약, 항경련약, 부신피질자극 스테로이드}, 갑상선기능항진증, 신부전증, 췌장염, 당뇨병, 전립선암, 비만, 류머티즘 등으로 인하여 GGT가 증가할 수 있습니다.

또 GGT 수치는 급성 관상^{심장}동맥증후군과 같이 간질환이 아닌 경우에도 증가할 수 있고, 만성적으로 과음하는 사람은 섭취한 알코올 양이 아주 적어도 수치가 크게 변할 수 있으며, 신장이나 췌장에 있는 해독세포가 파괴되어도 수치가 크게 증가하는 특징이 있어서 진단에 주의를 요합니다.

GGT 수치를 낮추려면 무엇보다도 금주와 금연이 우선이고, 운동과 식이조절^{커피와 필수아미노산 섭취}을 병행하면 좋습니다.

6-3
혈중 알부민과 총단백질검사

혈액 1데시리터^{dL} 안에 알부민과 총단백질이 몇 그램^g 들어 있나?

정상	알부민 3.5~5.5g/dL 총단백 5.5~8.5g/dL
낮음 알부민수치	혈관 내의 수분이 혈관 밖으로 나온 결과로 부종이 생김. 탈수증세설사, 구토, 영양과다를 의심
높음 알부민수치	위장증을 의심

    인체는 수분 60~70%, 단백질 15~18%, 지방질 16% 이상, 미네랄 2~5%로 구성되어 있고, 뼈 · 지방 · 제지방연조직^{근육, 내장, 피부, 연골, 혈구}으로 구분할 수 있습니다. 제지방연조직을 만드는 물질이 단백질입니다.

    단백질은 약 20종류의 아미노산이 여러 비율로 조합되어서 만들어진 것으로, 단백질 분자 1개에는 약 100개 정도의 아미노산 분자가 들어 있습니다. 그리고 DNA 안에는 아미노산 분자들을 어떻게 결합시킬지에 대한 정보가 들어 있습니다.

    혈액 안에 있는 단백질 성분은 크게 알부민과 글로불린의 두 종류로 구분합니다.

알부민은 조직에 영양분을 제공하고, 호르몬 · 비타민 · 약물 · 칼슘 등의 이온을 신체 각 부위로 전달하는 운반체 역할을 하는데, 혈관에서 액체 성분의 누출을 방지하는 역할이 특히 중요합니다. 혈액 내에 있는 총단백질 양에서 알부민 양을 빼면 글로불린의 양이 됩니다. 글로불린에는 효소, 항체, 그리고 500가지 이상의 단백질이 모두 포함됩니다.

간에서만 생성되는 알부민은 간에서 합성되는 모든 단백질과 호르몬, 비타민의 주원료로 사용되며, 혈장에는 단백질이 가장 많이 들어 있습니다. 알부민 수치가 정상이면 간에서 단백질 · 호르몬 · 비타민 · 효소 등을 잘 합성하고 있다는 의미이고, 알부민 수치가 낮으면 어떤 원인 때문에 합성작용을 잘하지 못하고 있다고 봅니다.

알부민 수치가 낮아지는 원인은 ① 간이 손상을 받은 경우, ② 신장질환이 있는 경우, ③ 영양실조 상태인 경우, ④ 염증이 있거나 쇼크 상태에 빠진 경우 등입니다.

반대로 알부민 수치가 정상보다 더 높은 경우도 있습니다. 이때는 간에서 알부민을 지나치게 많이 합성했다는 의미가 아니라, 신체에 수분이 부족해서_{탈수상태} 혈장의 부피가 작아졌기 때문에 알부민 농도가 상대적으로 높게 나타난 경우가 대부분입니다. 그러나 실제로 단백질대사 장애 때문에 수치가 증가할 수도 있으므로 잘 살펴보아야 합니다.

혈중 알부민과 총단백질검사의 해석

혈청에는 약 100가지 이상의 단백질이 녹아 있습니다. 그중 가장 많이 있는 단백질이 알부민이고, 그다음으로 많은 단백질은 글로불린입니다. 우리 몸에 병원균^{항원}이 들어오면 병원균과 싸우기 위해서 항체가 생긴다고 했는데, 항체도 단백질의 일종이고 글로불린이라고 합니다.

알부민은 간에서만 합성되고, 글로불린은 간·림프절·장·골수 등에서도 만들어집니다. 영양상태가 나빠지면 단백질을 합성하는 원자재로 쓰이는 아미노산이 부족해서 혈중 총단백질의 양^{알부민+글로불린}도 적어집니다. 혈중 총단백질의 양은 많아도 안 좋고, 적어도 안 좋습니다.

기준치보다
낮아서
안 좋은 경우

☞ 만성 간염이나 간경변 초기에는 총단백질 양에 변화가 거의 없지만, 간경변이 진행되어 간기능이 저하되면 혈중 단백질의 양이 당연히 감소됩니다.

☞ 신장에 장애가 생기면 단백질이 소변으로 누출되기 때문에 총단백질 수치가 낮아집니다. 그 대표적인 질환이 신콩팥증후군입니다.

기준치 안이
지만 이상이
있는 경우

☞ 간경변의 경우 알부민의 합성량은 감소하지만, 글로불린의 양이 증가하기 때문에 총단백질 양에는 변화가 없습니다. 즉 총단백질 양은 정상이지만 간경변이 진행되고 있는 경우입니다.

기준치보다
높아서
안 좋은 경우

☞ 총단백질 양은 변함 없는데, 탈수증상심한 구토, 설사 때문에 혈액 속 수분이 감소하면 상대적으로 수치가 올라갑니다.

☞ 총단백질은 알부민+글로불린이기 때문에 글로불린이 증가해도 수치가 올라갑니다. 감염증이나 자가면역질환에 걸리면 염증이 글로불린의 증가를 유발해서 총단백질 수치가 올라갑니다.

☞ 다발성 골수종과 같은 종양성 질환에 걸리면 증식된 종양세포가 면역글로불린을 만들기 때문에 총단백질 수치가 올라갑니다.

6-4
혈중 빌리루빈검사

혈액 1데시리터^{dL} 안에 빌리루빈이 몇 밀리그램^{mg} 들어 있나?

| 정상 | 총빌리루빈 | 0.2~1.2mg/dL |
| | 직접빌리루빈 | 0~0.4mg/dL |

| 총빌리루빈 높음 | 급성 간염, 만성 간염, 간경변, 간암, 담석증, 담낭암, 담도폐색 등을 의심 |

| 직접빌리루빈 높음 | 담도폐색, 간염, 간암, 간경변 등을 의심 |

| 간접빌리루빈 높음 | 체질성 빈혈, 지중해빈혈^{이탈리아, 그리스, 중동, 아프리카 등지에서 잘 발생하는 질병으로 적혈구의 헤모글로빈 결핍을 동반한다.}, 용혈성 질환 등을 의심 |

혈액 안에 있는 적혈구는 철분^{heme}과 단백질^{globin}이 골수에서 결합되어 만들어진 물질로, 주로 산소를 허파에서 조직까지 운반하는 역할을 합니다.

적혈구는 살아 있는 혈액세포이기 때문에 120일 정도 지나면 수명이 다 되어 죽는데, 죽은 적혈구는 비장이나 골수에서 철분과 단백질로 분리됩니다. 철분과 떨어진 단백질을 '비결합 빌리루빈' 또는 '간접 빌리루빈'이라 하며, 철분을 다시 흡수해서 재사용합니다.

비결합 빌리루빈은 알부민과 결합해서 간으로 수송된 다음 효소의 도움을 받아 당과 결합하여 '결합 빌리루빈' 또는 '직접 빌리루빈'으로 변합니다. 직접 빌리루빈은 간에서 만들어진 담즙에 녹아 십이지장으로 분비되고, 소장에서 박테리아에 의해 분해되어 대변으로 배출됩니다. 분해된 빌리루빈 때문에 대변의 색깔이 갈색입니다.

회장돌창자에서 담즙쓸개즙을 재사용하기 위해 다시 흡수하는 과정에서 일부 직접 빌리루빈이 다시 흡수됩니다. 이때의 직접 빌리루빈은 쓸모없는 물질이기 때문에 신장에서 다시 여과되어 소변으로 배출됩니다.

건강한 성인은 하루에 약 250~350mg의 빌리루빈을 만듭니다. 그중 약 85%는 비장이나 골수에서 수명을 다한 적혈구가 파괴되어 만들어진 '간접 빌리루빈'입니다.

혈액 중 빌리루빈 농도가 올라가는 원인은 다음과 같습니다.

☜ 적혈구의 세포막이 너무 빨리 파괴되어적혈구의 수명이 120일보다 훨씬 짧아져서=용혈(溶血) 빌리루빈이 너무 많이 생성되는 경우

☜ 담낭이나 담관에 문제가 생겨 담즙이 십이지장에 잘 분비되지 못하는 경우

☜ 신장에 문제가 생겨서 소변으로 빌리루빈이 거의 배출되지 못하는 경우

☜ 유전적으로 빌리루빈 수치가 높은 경우

혈액 중 빌리루빈 농도가 올라가면 제일 먼저 눈의 흰자위 색깔이 누렇게 변하는데, 이 증상이 심해지면 '황달'이 됩니다.

6-5 혈중 ALP검사

혈액 1리터 안에 ALP가 몇 국제표준단위^{IU} 들어 있나?

정상 기준치	30~120 IU/L
높음	담즙 정체를 의심. 담즙 정체는 간염, 간경변, 알코올성 간장애처럼 간 자체에 원인이 있는 경우와 담도결석, 담관협착, 췌장염처럼 간 밖에 원인이 있는 경우가 있습니다.

ALP^{알칼리인산분해효소}는 인산을 분해해서 무기질 인으로 만드는 작용을 도와주는 효소로, 간·뼈·신장·장·임신한 여성의 태반 등에서 관찰됩니다. 뼈를 만드는 조골세포와 간에 있는 담즙의 통로가 되는 아주 미세한 담관의 가장자리에서는 이 효소의 농도가 높습니다.

간에서 생산되는 ALP와 뼈에서 생산되는 ALP는 같은 효소이지만 형태가 달라서 어디에서 생산된 ALP인지 구별할 수 있습니다. 그러므로 간암·간경화·간에 독성이 있는 약물 복용·간염 등일 때의 ALP 농도와, 뼈가 부러지거나 관절염일 때의 ALP 농도는 둘 다 증가하지만, 별도의 검사를 통하여야 ALP의 출처를 구별할 수 있습니다.

ALP는 뼈가 성장해도 상승하기 때문에 어린이는 성인의 2~4배이고, 임신 중일 때에는 태반에서도 ALP를 만들기 때문에 평소의 2~3배가 됩니다.

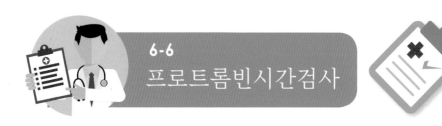

6-6
프로트롬빈시간검사

혈액 검체에 시약을 작용시킨 다음 프로트롬빈이 생성될 때까지 몇 초나 걸리는가?

정상	10 ~ 12초(시약에 따라 변동될 수 있음)
시간이 지연됨	비타민 K 결핍 또는 간·담도질환을 의심

혈관에 흠집이 생겨 출혈이 되면 혈액이 응고되어 구멍을 막아 지혈시킵니다.

이때 발생하는 화학적 반응은 다음과 같습니다.

🐚 간에서 프로트롬빈prothrombin : PT을 만듭니다.

🐚 프로트롬빈은 다른 응고인자의 도움을 받아 트롬빈으로 변합니다.

🐚 트롬빈이 혈액 안에 있는 피브리노겐섬유소의 전구물질에 작용해서 프로트롬빈을 물에 녹지 않는 섬유소로 변화시킵니다.

🐚 이 섬유소에 혈소판과 적혈구가 엉겨 붙어서 혈전을 만듭니다.

🐚 혈전이 터진 혈관 구멍을 막는 마개플러그 역할을 합니다.

혈전이 정상적으로 형성되려면 응고인자의 숫자가 충분해야 합니다. 응고인자가 적으면 과도한 출혈로 이어지고, 너무 많으면 혈전이 과도하게 생성되어 동맥경화의 위험성이 높아지므로 응고인자들이 적절하게 기능해야 합니다.

혈액의 응고에는 최소한 13개의 응고인자들이 관여하는데, 그중에서 7가지가 간에서 합성됩니다. 간세포에 기능장애가 있으면 이들의 합성이 적어지기 때문에 혈액응고가 지연됩니다. 보통 10~12초 사이에 필요한 프로트롬빈 양의 80~100%가 만들어져야 합니다.

6-7 요산검사

혈액 1데시리터dL 안에 요산이 몇 밀리그램mg 들어 있나?

정상 기준치	2.0~7.0mg/dL
높음	통풍, 고단백 또는 고칼로리 식사, 과음 등을 의심
낮음	중증 간장애, 임신, 스테로이드호르몬제복용 등을 의심

핵산, DNA, RNA 등에 들어 있는 아데닌과 구아닌, 그리고 카페인, 테오 필린 등과 같이 푸린골격을 가지고 있는 화합물들을 총칭하여 푸린염기purine base라 하는데, 푸린염기가 우리 몸속에서 분해되면 요산uric acid이 됩니다.

우리 몸속에서 만들어진 요산을 혈액이 신장으로 옮기면 신사구체가 걸 러서 소변으로 배설시킵니다. 어떤 이유로 인해 요산이 배출되지 못하고 혈액 속에 계속 머물러 있으면 다음과 같은 현상이 발생합니다.

☞ 관절에서 결정화되어 통풍을 일으킵니다.

☞ 신장에서 결정화되어 요로결석이나 신기능장애를 일으킵니다.

요산 수치가 기준치보다 높은 사람은 닭의 간, 말린 정어리, 명란젓 등 푸린염기가 많이 들어 있는 음식을 섭취해서는 안 됩니다.

6-8
LDH검사

혈액 1리터ᴸ 안에 젖산탈수소효소ᴸᴰᴴ가 몇 국제표준단위ᴵᵁ 들어 있나?

정상 기준치	150~400 IU/L
높음	기준치의 3배 이상 높으면 심근경색, 간염, 담도암, 대장암, 약의 부작용 등을 의심 그밖에는 항암제 또는 면역억제제복용의 부작용을 의심

LDH젖산탈수소효소는 당분을 에너지로 전환할 때 관여하는 효소입니다. 전신에 다 있지만, 간 · 신장 · 심장 · 골격근에 특히 많이 있습니다.

LDH가 많이 들어 있는 장기의 세포가 파괴되면 세포 안에 있던 LDH가 혈액 안으로 흘러 들어가서 LDH 농도가 높아집니다. LDH는 골격근에도 다량으로 포함되어 있기 때문에 검사 전날 심하게 운동을 해도 수치가 올라갈 수 있습니다.

6-9
간염검사

간염肝炎은 간에 염증이 생겼다는 의미로 거의 모든 간질환과 관련이 있고, 간염 바이러스에 감염되어 생깁니다. 간염 바이러스가 간을 갉아먹으면 산세포가 파괴되면서 3~50 IU/L이던 AST와 ALT 수치가 500~1,000 IU/L, 아주 심하면 10,000 IU/L까지 올라갑니다.

간염 바이러스에 의해 생기는 간염 외에 특정 독성물질 때문에 생기는 독성 간염도 있습니다. 병원에서 처방해준 약, 한방에서 처방해준 약, 민간요법에서 사용하는 약초나 동물 약재, 심지어 우리가 먹는 음식물에도 어느 정도의 독소가 들어 있습니다. 그러한 독소는 모두 간에서 해독시켜야 하므로 간에 모일 수밖에 없는데, 이때 간에 염증이 생기는 증상이 독성 간염입니다.

술 때문에 발생하는 간염은 알코올성 간염이라고 합니다. 술에 포함된 에탄올이 간에서 물과 이산화탄소로 분해되는 과정 중에 생기는 아세트알데히드가 간을 손상시킵니다. 그런데 사람의 몸은 제각기 다르기 때문에 누구는 평생 술을 마셔도 괜찮고, 누구는 그보다 적게 마셔도 간염 또는 간암에 걸릴 수 있습니다.

간염 바이러스에 의해서 생기는 간염에는 여러 종류가 있지만, 한국인에게는 A형과 B형 간염이 많습니다.

A형 간염

A형 간염 바이러스ʜᴬⱽ의 감염에 의한 급성 질환으로, 해당 국가 또는 지역의 위생 상태와 깊은 관련이 있습니다. 보건환경이 열악한 지역일수록 유아기 감염 비율이 높은데, 대부분 가벼운 감기 정도로 알고 지나갑니다. 그래서 보건환경이 열악한 국가의 성인들은 A형 간염바이러스 항체 보유율이 거의 100%에 가깝습니다.

A형 간염 바이러스에 감염되었을 때 다수의 경우 증상이 거의 없거나 아예 없을 수도 있습니다. 감염부터 증상이 나타날 때까지 걸리는 시간은 2~6주 사이이고, 구역질·구토·설사·황달·발열·복통 등 증상이 8주간 지속됩니다. 물, 식품, 대소변, 분비물, 입, 주사기공동사용, 수혈 등를 통해 감염됩니다.

A형 간염의 진단은 주로 항체검사로 합니다. A형 간염 바이러스에 대한 항체에는 anti-HAV IgM과 anti-HAV IgG가 있습니다. IgM은 감염 2주 후부터 혈액 내에서 검출되어 4~6개월 가량 지속되다가 차츰 사라지고, IgG로 전환됩니다. IgM은 최근의 A형 간염 바이러스 감염을 의미하는 항체이고, IgG는 과거의 감염 및 예방 항체입니다. 그러므로 A형 간염의

발병을 진단하는 데에는 IgM 항체가 유용합니다.

그러나 검사시약 간에는 민감도 차이가 있기 때문에 피검자가 자의적으로 검사 결과를 해석하면 안 되고, 담당 의사와의 상담을 통해 다른 검사 수치와 함께 종합적으로 해석해야 합니다.

A형 간염은 나이가 많은 층에서 발병할수록 증세가 심해지기 때문에 노인들은 간염 예방주사를 2회 접종한 후 항체검사를 하는 것이 좋습니다.

B형 간염

B형 간염 바이러스HBV에 의한 전염성 질병입니다. 초기 감염 동안에는 대부분의 사람들이 증상이 없으나 일부의 사람들은 구토 · 피로 · 복통 등으로 급격한 발병을 겪기도 합니다. 만성 질환의 경우 역시 대부분의 사람들은 증상이 없으나, 일부 사람들에게 간경화나 간암이 발병할 수 있습니다.

우리나라에서는 B형 간염이, 북미나 유럽에서는 C형 간염이 가장 흔한 간염입니다. 전 세계적으로 약 350만 명의 B형 간염환자가 존재하며, 매년 약 62만 명이 B형 간염으로 사망하는 것으로 추정됩니다.

B형 간염의 가장 일반적인 전염경로는 정맥주사 또는 성교입니다. 수혈 · 투석 · 문신 · 침술도 전염경로가 되지만, 술잔 돌리기 · 키스 · 기침 · 재채기로는 전염되지 않습니다.

B형 간염에 감염되었을 때의 경과는 단지 몇 주 정도 지속되는 경미한

증상에서 수년간 지속되는 만성형에 이르기까지 다양합니다. 만성 B형 간염이 간경변이나 간암과 같은 심각한 합병증을 야기하는 경우도 있습니다.

현재 우리나라의 건강검진에서 시행하고 있는 B형 간염검사는 다음 3가지입니다.

B형간염표면항원검사 HBsAg	바이러스의 존재 유무를 직접 확인하는 검사입니다. 양성이면 B형 간염 바이러스가 혈액 내에 있다는 의미로, 감염된 환자 또는 보균자입니다.
B형간염표면항체검사 HBsAb	B형 간염에 대한 항체가 형성되어 있는지를 알아보려는 검사입니다. 양성이면 B형 간염 바이러스와 싸워서 이긴 경험이 있습니다. 즉 이 사람은 B형 간염에 걸릴 염려가 전혀 없습니다.
B형간염코아^핵항체검사 HBcAb	이 검사 결과가 양성이라면 'B형 간염 바이러스에 노출된 적이 있다.'는 것을 나타냅니다. 그러므로 내 몸이 바이러스와 싸워 이겨서 항체가 생겼다는 것도 아니고, 싸우다 져서 현재 감염된 상태라는 것도 아닙니다.

C형 간염

C형 간염 바이러스HCV에 의한 전염성 질병으로, 주로 아프리카, 중앙아시아, 동남아시아에서 발병합니다. C형 간염 바이러스는 B형 간염 바이러스만큼 전염성이 높지 않지만 현재 감염을 막을 수 있는 백신이 없습니다.

C형 간염 바이러스는 오염된 혈액에 노출되어 전염되는데, 주로 주사바늘을 공유함으로써 전염됩니다. 이 외에 감염된 사람과 성행위, 면도기와 같이 혈액에 의해 오염된 개인용품 공유, 의료종사자의 직업적 노출 등의 경우에 전염되며, 출산 시 아기에게 전염되기도 합니다.

C형 간염 바이러스에 감염된 사람들의 대부분은 아무런 증상이 없어 감염 상태를 인식하지 못합니다. 그러나 감염된 사람의 약 60~70%에서 만성 간질환이 발생하고, 만성 감염이 10~20년 정도 진행된 사람의 20~30%에서 간경화가 발병하는 것으로 밝혀졌습니다.

C형 간염검사는 C형 간염 바이러스 감염의 검출, 진단 및 치료를 모니터링하기 위해 시행합니다. 가장 일반적인 검사는 C형 간염 바이러스 감염에 대한 반응으로 혈액에서 생성되는 항체를 검출하는 검사와 바이러스의 RNA 존재 여부, 현재 바이러스 RNA의 양, 또는 바이러스의 특정 아형새끼 또는 비슷한 종류을 결정하는 검사가 있습니다.

간의 구조와 기능

간은 오른쪽 갈비뼈 안 횡격막 밑 소장과 췌장 위쪽에 있고, 섬유성 막으로 싸여 있으며, 적갈색을 띠고 있습니다. 간의 앞쪽 표면은 반구형으로 매끈하지만, 아래쪽과 뒤쪽은 이웃한 다른 장기들 때문에 함몰된 부분이 있습니다.

간은 오른쪽 엽과 왼쪽 엽으로 구분되는데, 보통 오른쪽 엽이 왼쪽 엽보다 5배 정도 큽니다. 간동맥, 문맥, 담관, 림프관 등이 오른쪽 엽과 왼쪽 엽 사이를 주행합니다.

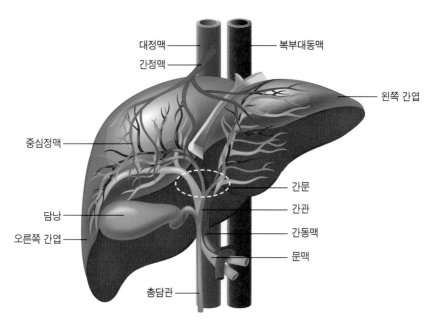

❖ 간의 구조

간에는 간동맥을 통해 동맥혈이 들어오고, 문맥이라는 정맥을 통해 장에서 영양분을 흡수한 정맥혈이 들어오기 때문에 이중으로 혈액을 공급받습니다. 간동맥을 통해 들어온 혈액과 문맥을 통해 들어온 혈액은 간의 굴모양 혈관 속에서 섞인 후 중심정맥을 거쳐 심장으로 돌아갑니다.

간은 다른 장기와 달리 스스로 재생할 수 있는 능력이 있습니다. 즉 간은 75%가 상실되더라도 원래의 모습으로 되돌아갈 수 있습니다.

간은 다음과 같은 기능을 수행합니다.

대사작용

물질대사物質代謝, metabolism란 생물의 세포 안에서 생명을 유지하기 위해 일어나는 모든 화학반응을 의미합니다. 효소는 화학반응이 빠른 시간에 효율적으로 일어날 수 있도록 촉매작용을 합니다. 생물은 대사를 통해 성장하고, 번식하며, 구조를 유지하고, 환경에 반응합니다.

대사작용에는 세포호흡을 통해 유기분자를 분해하고 에너지를 얻는 '이화작용'과, 이화작용으로 얻은 에너지를 이용하여 단백질이나 핵산과 같은 세포구성 성분을 합성하는 '동화작용'이 있습니다.

간은 비타민 A, D, B_{12}, 철, 구리, 아연 등을 저장하고, 각종 장기에서 생성된 호르몬을 분해하는 기능이 있고, 항체인 감마$^{\gamma}$ 글로불린을 생성하는 역할도 합니다. 또 간은 지용성 비타민의 흡수와 가공에도 중요한 영향을 미칩니다.

담즙 생산

간에서 분비되는 초록색 액체인 담즙^{쓸개즙}은 담관을 통해 십이지장으로 직접 흘러가기도 하지만, 대부분 쓸개에 일단 저장됩니다. 쓸개에서는 담즙의 농도를 좀 더 진하게 농축시킨 다음 필요할 때 십이지장으로 흘려보냅니다.

입과 위에서 약간 소화된 음식물이 십이지장으로 넘어가면 간에서는 담즙을, 이자^{췌장}에서는 이자액을 십이지장에 분비합니다. 이 두 소화액이 십이지장에서부터 소장까지 음식물을 소화시켜서^{분해해서} 흡수합니다. 담즙은 지방을 분해해서 흡수할 수 있도록 돕는 역할을 하고, 나중에 담즙을 다시 사용하기 위해 회장^{돌창자}에서 담즙을 다시 흡수해서 쓸개에 저장하고, 극히 일부는 대변과 함께 배출됩니다.

간은 하루에 약 1리터의 담즙을 생산하며, 담즙의 주성분은 빌리루빈, 담즙산, 그리고 콜레스테롤입니다. 죽은 적혈구가 배출한 헤모글로빈을 간이 분해해서 빌리루빈으로 만들면, 빌리루빈은 담즙에 의해 장으로 운반되었다가 대변과 함께 배설됩니다.

단백질 합성

음식으로 섭취한 단백질은 아미노산 형태로 분해되어 간문맥을 통해 간으로 도달합니다. 우리 몸에 있는 아미노산은 약 20여 종류인데, 그중 음식물을 통해 섭취해야 하는 10가지 정도의 아미노산을 필수아미노산^{꼭 필요한}

아미노산이라는 뜻이 아니고, 꼭 수입해야 하는 아미노산이라는 뜻이라고 합니다.

간이 필수아미노산을 이용하여 합성하는 단백질에는 혈청단백질, 호르몬, 효소 등이 있고, 필수아미노산의 일부는 포도당 신생 과정을 거쳐 에너지원으로도 사용됩니다. 간이 하루에 약 50g의 단백질을 합성하는데, 그중 알부민이 하루에 약 12g씩 생산되어 가장 많습니다. 알부민은 혈장 안의 다양한 이온, 호르몬, 지방산 등을 조직으로 운반하는 역할을 합니다.

간에서 합성되는 단백질 중에는 혈액 응고인자도 있습니다. 그러므로 간질환으로 간의 단백질 합성능력이 저하되면 혈액 응고인자들의 생성이 저하되어 출혈 경향이 증가합니다.

또한 간은 지방산의 산화물을 이용하여 콜레스테롤, 인지질, 지질단백질지단백 등을 합성합니다. 대부분의 콜레스테롤은 담즙을 만드는 데에 사용되고, 그 외의 콜레스테롤은 성호르몬·부신호르몬의 원료가 되며, 비타민 D 합성에도 쓰입니다.

영양분의 저장고

위와 소장에서 나온 모든 혈액은 문맥을 통해서 간으로 들어가기 때문에 우리가 섭취한 모든 영양소는 간을 먼저 거친 후 심장을 통해 전신으로 퍼져나갑니다. 소화관에서 흡수한 영양소가 간으로 들어오면 간은 저장해야 할 것, 폐기해야 할 것, 전신으로 보내야 할 것을 분류하고 각각의 양을 결정합니다.

간은 문맥을 통해 유입된 포도당, 아미노산, 글리세린, 젖산 등을 글리코겐, 아세트알데히드, 지질단백질지단백 등 우리 몸에 필요한 성분으로 만들어서 다른 조직으로 보내거나 저장해둡니다. 필요하면 저장해두었던 글리코겐을 다시 포도당으로 전환시켜 에너지원으로 활용하기도 합니다.

몸에 해로운 물질 제거

간은 체내에서 합성되거나 외부로부터 유입된 각종 지용성 물질을 수용성으로 변환시켜 쓸개즙이나 소변을 통해 내보내는 해독작용을 담당합니다. 간에 있는 별큰포식세포Kupper's cell는 체내에 들어오는 세균과 바이러스 등을 포식하여 제거합니다.

간은 여러 효소의 반응경로를 통해 수만 가지의 해로운 화학물질을 해독하여 무해한 물질로 변화시킵니다. 특히 단백질이 분해될 때 생성되는 암모니아를 요소와 요산으로 변환시켜서 배출시킵니다. 간에 이상이 생겨 암모니아를 배출하지 못하게 되면 황달이나 간성 뇌증에 걸립니다.

간이 보내는 SOS
샛길 지식

간은 70%가 손상되어도 증상이 없기 때문에 '침묵의 장기'라고 합니다. 다음과 같은 증상은 간이 주인에게 보내는 SOS입니다.

» 피로하고 온몸이 무기력합니다.
» 식욕이 뚝 떨어집니다.
» 멀미처럼 메스껍고 구토증상이 있습니다.
» 소화가 잘 안 되고, 속이 더부룩합니다.
» 오른쪽 윗배에 통증이 느껴집니다.

간에 좋은 음식

구기자 서양에서는 '고지베리'라 합니다. 간과 신장기능의 보호에 좋습니다. 지방간을 예방하고, 염증을 가라앉히며 간의 해독기능을 높여줍니다.

마늘 간암과 대장암의 발병을 억제하고, 해독작용이 뛰어납니다. 생마늘이 좋지만, 먹기 어려우므로 구워서 먹거나 장아찌를 만들어서 먹습니다.

부추 간을 깨끗하게 해주고 콜레스테롤을 배출하여 간에 지방이 쌓이는 것을 막아줍니다.

비트 황달과 숙취 해소에 좋고, 간암 예방 효과가 탁월합니다. 간에 지방이 축적되는 것을 억제하고, 손상된 간을 회복시키는 효과도 있습니다.

모시조개 간의 기를 보호하고, 해독작용이 탁월하며, 눈을 밝게 해줍니다. 담즙 분비를 촉진합니다.

표고버섯 과음으로 지친 간에 활력을 줍니다. 면역력을 증강하고 항암효과가 뛰어납니다. 물에 끓여 먹으면 단단하게 뭉친 간을 풀어주고, 중금속과 유해물질의 배출에 좋습니다.

울금^{강황} 강력한 항산화작용으로 간을 해독시켜 간기능을 좋게 합니다. 혈관 건강과 치매 예방에도 좋습니다.

팥 부기를 빼고 노폐물을 배출합니다. 항산화효소를 합성해서 간의 해독기능을 향상시킵니다. 신진대사를 활발하게 하고, 간의 피로회복에 좋습니다.

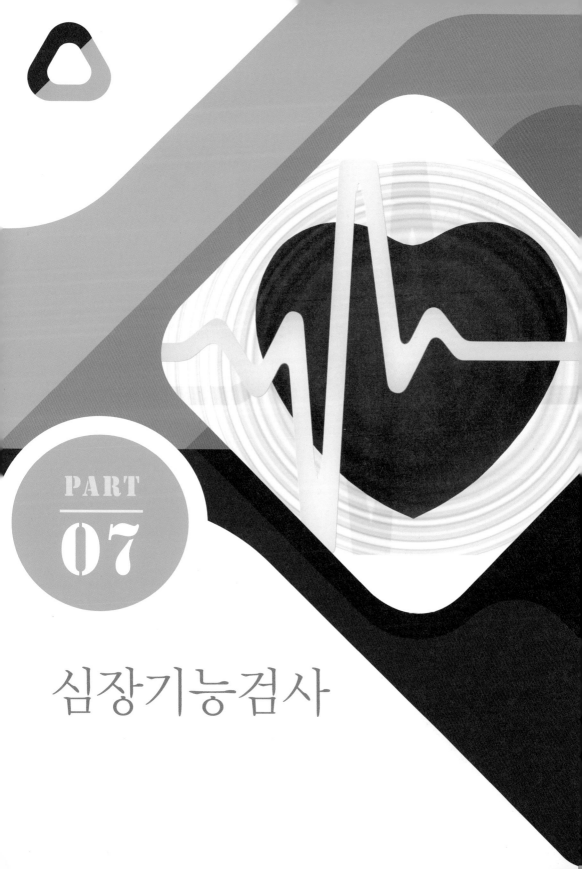

PART
07

심장기능검사

오른쪽 심방^{우심방} 위에 있는 동방결절에서는 전기신호^{신경임펄스}가 생성됩니다. 이 전기신호는 심장의 전기전도체계를 따라 흐르면서 심방과 심실에 있는 심장근육을 주기적으로 수축시킵니다.

심장근육이 수축하면 활동전위가 만들어집니다. 이 활동전위는 심장에 가까운 피부쪽으로도 흐릅니다. 이때 피부쪽으로 흐르는 활동전위를 포착하기 쉬운 위치에 전극을 부착합니다. 그러면 심장이 수축을 반복하는 동안 활동전위의 변화가 종이 또는 모니터 상에 그래프로 기록되는데, 이 기록이 심전도입니다.

그래프 모양은 심전도를 측정하기 위해 부착한 전극의 개수^{심전도채널 수} 및 부착 위치에 따라 약간씩 다르기 때문에 일반인이 판독하기는 어렵습니다.

검사방법 및 판독

검사방법

윗옷을 벗고 옆으로 눕습니다. 두 손과 두 발의 끝에 전극을 부착하고^{사지} ^{유도}, 가슴에 6개의 전극을 부착합니다^{흉부 유도}. 그다음 심장의 박동에 따라서 일어나는 미세한 전류의 흐름^{전위의 변동}을 3~5분 동안 기록합니다.^{12유도} 심전도계에 대한 설명입니다.

판독

검사 결과의 판독은 파의 형태, 파의 높이, 지속시간, 간격 등을 모두 고려해야 하기 때문에 일반인들이 해석하기는 어렵습니다. 따라서 의사의

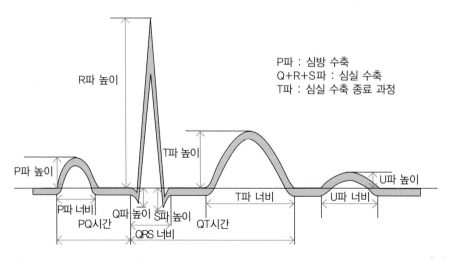

❖ 정상적인 심전도의 파형

설명을 잘 듣고, 이해가 안 가면 질문하는 것이 가장 좋은 방법입니다.

심전도 파형이 대체적으로 정상적인 파형과 비슷하면 '정상'이라고 판정하지만, 그것이 100% 정상이라는 뜻은 아닙니다. 협심증이나 부정맥인 경우 발작이 일어난 후에는 변화가 보이지 않기 때문입니다. 또 측정했던 시각에는 심전도가 정상이었다고 하더라도 심장에 이상이 없다고 단언할 수도 없습니다.

검사로 알 수 있는 것

심전도검사는 검사 결과가 비교적 정확하고, 측정방법이 간단하며, 언제든지 다시 검사할 수 있고, 비용이 저렴하며, 환자에게 아무런 상처도 내지 않고 검사할 수 있어서 순환기질환을 검사할 때 자주 사용됩니다.

서맥과 빈맥

성인은 1분에 60~80회 정도 심장이 박동하는데, 운동을 하거나, 놀라거나, 기온이 크게 변하거나, 잠을 잘 때에는 심박수가 빨라질 수도 있고 느려질 수도 있습니다.

그러나 특별한 이유없이 성인의 심박수가 100회/분 이상이면 '빈맥', 60회/분 이하이면 '서맥'이라고 합니다.

마라톤선수처럼 심장이 아주 튼튼한 스포츠심장의 경우 서맥이 될 수도 있어서, 서맥이나 빈맥 진단이 나오더라도 크게 걱정할 필요는 없습니다. 그러나 담당의사와 잘 상의해서 서맥이나 빈맥의 원인을 없애려고 노력해야 합니다.

차단방실차단, 우각차단, 좌각차단

뒤에 있는 '심장의 전도계통p.188 참조'을 읽어보시면 알 수 있겠지만, 동방결절동굴심방결절에서 만들어진 전기신호가 퍼져나가 좌우 심방에 있는 근육을 수축시킨 다음 방실결절에 다시 모입니다. 여러 개의 신경경로를 통해서 방실결절에 다시 집합하는 전기신호 중 일부가 도착되지 못하는 것을 '방실차단'이라고 합니다.

방실차단이라는 진단이 나왔다고 크게 걱정할 필요는 없으나, 심방에 있는 근육 중 일부가 수축하지 못한다는 의미이기 때문에 좋을 리는 없습니다.

전기신호가 방실결절에 다시 모이는 이유는 전기신호를 재정비해서 좌우 심실을 거의 동시에 수축시키기 위해서입니다. 전기신호는 방실결절에서 우심실 쪽으로 가는 신경섬유다발히스다발과 좌심실 쪽으로 가는 신경섬유다발을 타고 이동해야 심실을 수축시킬 수 있습니다.

이때 전기신호가 우심실 쪽으로 가는 신경섬유에 전달이 잘 되지 않는 현상을 '우각오른방실다발갈래차단', 전기신호가 좌심심 쪽으로 가는 신경섬유에 전달이 잘 되지 않는 현상을 '좌각왼방실다발갈래차단'이라고 합니다.

좌각차단 또는 우각차단이라는 진단이 나오면 방실차단과는 달리 빨리 치료해야 합니다. 심실 중 어느 하나라도 수축하지 않으면 혈액순환이 일시적으로 중단될 수 있기 때문입니다.

기외期外수축

기외주기외수축은 심방과 심실이 서로 리듬을 맞추어서 정상적으로 수축하다가 심방 또는 심실이 아직 수축할 시간이 안 되었는 데 미리 수축하는 현상입니다. 대부분 몸의 컨디션이 안 좋을 때 일시적으로 생겼다가 없어지지만, 그런 현상이 자주 일어나면 원인을 찾아서 치료해야 합니다.

부정맥

부정맥은 심장의 박동이 규칙적이지 못한 상태를 말합니다. 동방결절에서 전기신호를 규칙적으로 만들지 못하거나, 규칙적으로 만들어진 전기신호를 정상적으로 전달하지 못하는 것을 의미합니다.

부정맥이 생기는 원인에는 선천적인 심장이상, 담배 · 술 · 카페인, 심장질환심근경색, 고혈압, 갑상선기능항진증 등이 있습니다. 부정맥이 생기면 가슴 두근거림 · 흉통이 있으며, 심하면 실신하거나 사망에 이르기도 합니다.

7-2
운동부하 심전도검사

트레드밀에서 운동하면서 하는 심전도검사가 운동부하 심전도검사입니다. 처음에는 천천히 걷다가 점차 빠르게 걷거나 뛰면서 심전도, 심박 수 및 혈압을 측정합니다.

운동부하 심전도검사는 주로 관상동맥질환^{협심증, 심근경색}, 부정맥, 허혈성 심장질환 등의 진단 및 치료를 위해서 시행합니다. 또 피검자에게 운동처방을 하기 위한 정보를 얻기 위해서도 시행합니다.

이 검사는 관상동맥질환이나 부정맥에 대한 검사이므로 어느 정도 위험성이 따를 수 있습니다. 따라서 평소 느끼던 흉통이 생기거나, 숨이 많이 가쁘거나, 가슴이 뛰거나, 어지러우면 검사를 중단해야 합니다.

검사 종료 후 30분 정도 검사실에서 흉통 등 관련 증상 발생 여부를 관찰 및 확인해야 합니다.

7-3
활동 중 심전도검사_{홀터검사}

　부정맥이 의심될 때에는 정확한 진단을 위해 오랜 시간의 심전도 기록이 필요합니다. 이때 시행하는 활동 중 심전도검사_{홀터검사, 24시간 심전도검사}는 전극을 붙인 상태에서 24시간 동안 생활하면서 심전도를 기록합니다.

　24시간 동안의 연속적인 심전도 기록 중에서 증상이 있었던 때의 심전도 기록만을 분석합니다.

7-4
사건기록 심전도검사

　1~2주 동안 기계를 착용한 채로 생활하면서 증상이 있을 때 심전도를 기록하는 방법입니다. 홀터검사는 24시간 동안 연속적으로 심전도가 기록되지만, 사건기록 심전도검사는 피검자가 스위치를 누를 때에만 심전도가 기록됩니다.

　며칠에 한 번 정도 발생하는 부정맥을 진단할 때 유용합니다.

7-5
심장초음파검사

심전도검사에서 심장기능에 이상이 있다고 의심될 때 제일 먼저 권하는 검사가 심장초음파검사입니다.

심장초음파검사는 탐촉자에서 심장에 초음파를 발사하여 반사되어 돌아오는 초음파를 컴퓨터단층촬영CT 기술을 이용해서 이미지화하는 것입니다. 심장초음파검사를 하면 심장의 움직임을 직접 눈으로 확인할 수 있고, 초음파를 이용하기 때문에 방사선에 노출될 염려가 없다는 장점이 있습니다.

다음은 심장초음파검사를 통해 확인할 수 있는 증상들입니다.

☞ 좌심실 비대 : 온몸으로 혈액을 보내는 좌심실의 벽이 두꺼워진 것

☞ 이완 또는 수축기능 장애 : 심방 또는 심실이 확장되거나 수축하는 기능의 이상

☞ 역류 : 승모판이나 삼첨판 또는 대동맥관에서 일부 혈액이 거꾸로 흐르는 증상

☞ 협착증 : 승모판 또는 대동맥관의 입구가 좁아진 증상

심장의 구조와 기능

심장은 흉부중격가슴세로칸 아랫부분 양쪽 폐 사이에 있는데, 심장의 약 2/3는 왼쪽에, 나머지 1/3은 오른쪽에 있습니다. 심장의 크기와 모양은 꽉 쥔 주먹과 비슷합니다.

심장 위쪽에 있는 2개의 공간을 우심방과 좌심방, 아래쪽에 있는 2개의 공간을 우심실과 좌심실이라고 합니다. 각 공간의 외벽은 튼튼한 심장근육조직으로 이루어져 있고, 내벽은 부드러운 심장속막으로 이루어져 있습

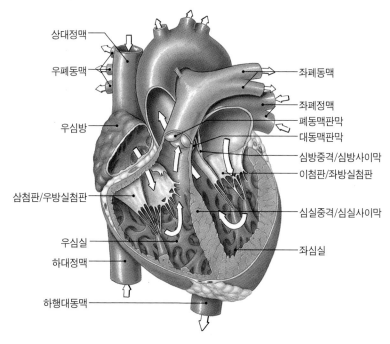

상대정맥
우폐동맥
우심방
삼첨판/우방실첨판
우심실
하대정맥
하행대동맥

좌폐동맥
좌폐정맥
폐동맥판막
대동맥판막
심방중격/심방사이막
이첨판/좌방실첨판
심실중격/심실사이막
좌심실

❖ 심장의 구조

니다. 심방과 심방 사이를 나누는 막을 심방중격(심방사이막)이라 하고, 심실과 심실을 나누는 막을 심실중격(심실사이막)이라고 합니다.

4개의 공간으로 이루어진 심장은 두 겹으로 된 주머니 안에 들어 있습니다. 심장과 직접 접촉하는 주머니를 장막심장막(내장심장막), 그 바깥에서 뼈와 연결되어서 심장을 제자리에 머물러 있게 하는 주머니를 벽쪽심장막(벽측심장막)이라고 합니다. 장막심장막과 벽쪽심장막 사이에는 윤활유 역할을 하는 액체가 들어 있습니다.

심장은 혈액을 온몸으로 분배해주는 펌프 역할을 합니다. 혈액을 심장 밖으로 밀어내기 위해 심장근육이 수축하는 시기를 수축기(systole), 심장 안으로 혈액을 받아들이기 위해 심장근육이 이완하는 시기를 확장기(diastole)라고 합니다.

심장이 박동할 때에는 심방이 먼저 수축하여 혈액을 심실로 강제로 보내고, 심실이 혈액으로 가득 채워지면 수축하여 혈액을 심실 밖으로 밀어냅니다. 이러한 펌프 작용의 효율을 높이려면 심장근육이 규칙적으로 수축해야 하고, 그다음에는 혈액이 한 방향으로만 흐르도록 조절해야 합니다. 심장근육을 규칙적으로 수축하게 만드는 것이 심장의 전도계통이고, 혈액이 한 방향으로만 흐르게 만드는 것이 4개의 심장판막입니다.

심장의 판막

심방과 심실을 분리하는 판막이 방실판막입니다. 좌심방과 좌심실 사이에 있는 방실판막을 이첨판막, 우심방과 우심실 사이에 있는 방실판막을 삼첨판막이라고 합니다. 방실판막은 심실이 수축할 때 혈액이 심방 쪽으로 역류하는 것을 방지하는 역할을 합니다.

좌심실과 대동맥 사이에 있는 판막을 대동맥판막, 우심실과 폐동맥 사이에 있는 판막을 폐동맥판막이라고 합니다. 대동맥판막과 폐동맥판막은 혈액이 대동맥이나 폐동맥으로 흐르는 것은 허용하지만, 반대로 흐르는 것은 방지하는 역할을 합니다.

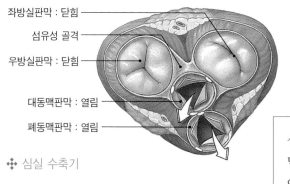

좌방실판막 : 닫힘
섬유성 골격
우방실판막 : 닫힘
대동맥판막 : 열림
폐동맥판막 : 열림

❖ 심실 수축기

┌─────────── 판막의 기능 ───────────┐
심실 확장기에는 방실판막이 열리고, 심실 수축기에는 대동맥과 폐동맥의 판막이 열립니다.
└──────────────────────────────┘

좌방실판막 : 열림
우방실판막 : 열림
대동맥판막 : 닫힘
폐동맥판막 : 닫힘

❖ 심실 확장기

심장의 전도계통

심장근육이 규칙적으로 수축하려면 신경임펄스가 타이밍을 잘 맞추어 심장근육에 도달해야 합니다. 심장근육의 리듬은 자율신경의 신호에 의해 조절되지만, 심장에 내장된 전도계통의 협동이 없으면 리듬을 정확하게 조절할 수 없습니다.

심장의 전도계통에서 가장 중요한 것은 심장의 각 구역에 있는 근육섬유들이 개재원반^{사이원판, intercalated disc}에 의해서 전기적으로 서로 연결되어 마치 한 개의 단위처럼 수축하거나 이완하는 것입니다. 즉 보통 근육의 경우 a 신경섬유는 A그룹의 근육섬유와 연결되어 있고, b 신경섬유는 B그룹의 근육섬유와 연결되어 있는 반면, 심장의 신경섬유와 근육섬유들은 개재원판에 의해 모두 서로서로 연결되어 있습니다.

한편 심장이 수축되고 이완되는 데에 필요한 신경임펄스는 다음 그림에 나타나 있는 4개의 구조체^{동방결절, 방실결절, 좌·우각, 푸르킨예섬유}에 의해서 모든 방향으로 재빨리 전달될 수 있도록 특화되어 있습니다.

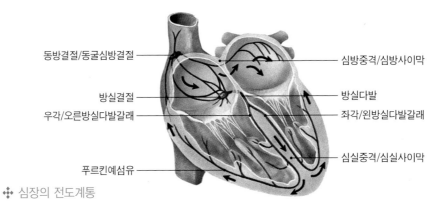

동방결절/동굴심방결절   심방중격/심방사이막

방실결절   방실다발

우각/오른방실다발갈래   좌각/왼방실다발갈래

심실중격/심실사이막

푸르킨예섬유

❖ 심장의 전도계통

심장근육으로의 혈액 공급

생명을 유지하기 위해서는 심장이 규칙적으로 계속 펌프질을 해야 하고, 그러기 위해서는 심장근육에 영양물질과 산소를 포함하고 있는 혈액이 지속적으로 공급되어야 합니다. 산소와 영양분이 풍부한 동맥혈을 심장근육에 공급하고, 심장근육으로부터 산소와 영양물질이 부족한 정맥혈을 정맥계통으로 돌려보내는 것을 '관상동맥^{심장동맥}순환'이라고 합니다.

혈전이 심장동맥의 어떤 부분을 막거나 혈액이 흐르는 것을 방해하면 심장근육에 있는 세포들이 정상적으로 혈액을 공급받지 못해서 죽거나 상해를 입게 됩니다. 심장근육이 적당량의 산소를 공급받지 못하여 가슴에 심한 통증이 생기는 증상을 '협심증', 심장근육의 일부가 괴사하는 증상을 '심근경색증'이라고 합니다.

관상동맥의 질환과 치료

관상동맥의 기능이상은 생명유지에 직접적인 타격을 줍니다. 그래서 관상동맥의 기능이상은 발견 즉시 치료해야 합니다.

관상동맥의 어떤 부위가 막혀서 혈액이 흐르지 못한다면 그 부분의 혈관을 인공혈관으로 대체하는 수술을 해야 하는데, 그것을 '관상동맥우회술'이라 합니다. 관상동맥의 어떤 부위에 혈액이 잘 흐르지 못하는지 찾아내려면 '관상동맥조영술'을 이용합니다.

심장에 좋은 음식

콩류 연구 결과에 따르면 일주일에 4번 이상 콩을 먹는 사람은 콩류를 일주일에 한 번도 먹지 않는 사람보다 심장병에 걸릴 확률이 22% 나 낮다고 합니다. 특히 검은콩에는 식이섬유, 마그네슘, 엽산, 항산화제가 많이 들어 있어서 혈당과 콜레스테롤을 낮추는 데 도움을 줍니다.

올리브기름 올리브기름에 들어 있는 불포화지방산은 나쁜 콜레스테롤을 낮추고, 폴리페놀이라는 항산화제는 혈관을 보호하는 역할을 합니다.

고구마 고구마 속에는 항산화 물질과 식이섬유가 들어 있어 심장병의 위험을 낮춥니다. 당뇨병환자에게도 적극 추천합니다.

레드와인 하루 1~2잔의 레드와인은 콜레스테롤 제거와 HDL콜레스테롤의 활동에 큰 도움을 줍니다. 레드와인에는 카테킨과 레스케라트롤이라는 항산화제가 들어 있습니다. 두 성분은 동맥벽을 보호하고, 혈관이 굳어지는 것을 예방합니다.

생선 생선에는 오메가-3 지방산과 DHA가 풍부하게 들어 있어 수면장애 개선은 물론 혈압을 낮추는 역할을 합니다.

양파 양파는 혈압을 낮추는 역할을 할 뿐만 아니라 혈관이 굳지 않고 혈액순환이 원활하게 되도록 혈관을 지켜줍니다.

PART

08

호흡기능검사

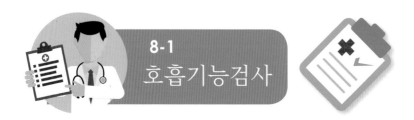

8-1
호흡기능검사

　호흡기능은 숨을 들이쉬고 내쉬는 능력, 허파꽈리[폐포]의 모세혈관과 공기 사이의 가스교환[외호흡], 그리고 조직의 모세혈관과 조직세포 사이의 가스교환[내호흡]을 모두 포함합니다.

　그러나 여기에서 호흡기능검사란 숨을 들이쉬고 내쉬는 능력을 측정하는 검사를 말합니다. 그러므로 호흡기능검사를 할 때에는 검사자의 설명을 잘 듣고, 정확한 자세를 취한 상태에서 최대의 노력으로 숨을 들이쉬고 내쉬어야 하므로 일종의 체력검사에 해당합니다.

　노력성 흡기량과 호기량을 측정한 다음, 검사 결과는 같은 또래·같은 성[남·녀]의 전체 평균[검사용 컴퓨터에 저장되어 있음]의 몇 %라고 알려줍니다.

　자신의 측정치가 백 몇 %가 나왔다고 특별히 좋은 것도 아니고, 90 몇 %가 나왔다고 걱정할 일도 아닙니다. 다만 50 몇 % 또는 30 몇 %가 나왔다고 하면 지체없이 치료를 받아서 호흡능력을 회복시켜야 합니다.

　호흡기능검사는 1회 측정으로는 부족하고, 3회 정도 반복해서 검사를 해야 합니다. 검사 목적은 환기장애p.196 참고 여부 및 환기장애의 정도를 알아보는 데에 있습니다.

호흡기능검사 시 측정하는 내용과 의미는 다음과 같습니다.^{그림 참조}

- 1회호흡량^{TV} : 안정 시에는 숨을 들이쉬는 양^{흡기량}과 숨을 내쉬는 양^{호기량}이 정확하게 일치하기 때문에 1회흡기량 또는 1회호기량을 측정하여 1회호흡량이라고 합니다. 그러나 운동을 시작한지 얼마 안 되었거나 운동을 끝내고 회복하는 동안에는 숨을 점점 더 깊게 쉬거나 점점 더 얕게 쉬기 때문에 흡기량과 호기량을 구분해야 합니다. 성인 남자의 1회호흡량은 약 500mL입니다.

- 예비흡기량^{IRV} : 최대의 노력으로 숨을 들이마셨을 때 평소^{안정 시}보다 허파 속으로 더 많이 들어온 공기의 양을 말합니다. 예비흡기량이 많으면 허파의 탄력성이 좋다는 것을 의미합니다. 성인 남자의 예비흡기량는 약 3,000~3,300mL입니다.

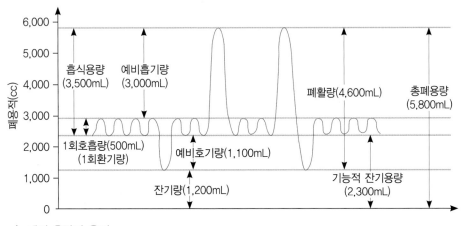

❖ 폐의 용량과 용적

● 예비호기량ERV : 최대의 노력으로 숨을 들이마신 다음 최대의 노력으로 내쉬었을 때 평소보다 더 내쉰 양을 말합니다. 성인 남자의 예비호기량은 약 1,000~1,200mL입니다.

● 잔기량RV : 숨을 최대한 내쉬어도 허파 속에 남아 있는 공기의 양입니다. 갑작스러운 환경 변화에도 인체가 잘 적응할 수 있도록 하는 수단이 됩니다. 간단히 측정할 수 있는 방법은 없고, 보통 '기능적 잔기량 – 예비호기량'으로 계산합니다. 성인 남자의 잔기량은 약 1,200mL입니다.

● 기능적 잔기량FRV : 안정 시 숨을 내쉰 다음에도 허파 속에 남아 있는 공기의 양입니다. 측정방법이 어렵고 복잡합니다. 성인 남자의 기능적 잔기량은 약 2,300mL입니다.

● 폐활량VC : 최대로 숨을 들이마셨다가 최대로 내쉬었을 때 허파 속을 드나든 공기의 양입니다. 보통 '1회호흡량+예비흡기량+예비호기량'으로 계산합니다. 성인의 폐활량은 약 4,600mL입니다. 폐활량이 많을수록 호흡기능이 좋다고 할 수 있습니다.

● 기류용적곡선 : 숨을 최대로 들이마신 뒤 최대로 빨리 많은 양의 공기를 내쉬도록 하여 그 결과를 그린 그래프입니다. 다음 그림에서 가로축은 시간초이고, 세로축은 공기의 속도리터/초입니다. 약 6초 동안에 숨을 최대로 들이마신 뒤그래프의 흡기속도 곡선 가능한 한 빨리 숨을 내쉬되, 내쉴 수 있는 공기가 없더라도 약 6초 동안 버티면서 내쉬는 검

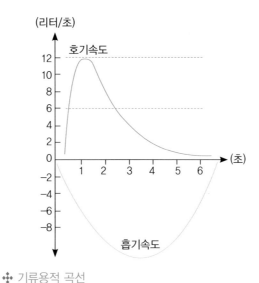

(리터/초)

호기속도

흡기속도

❖ 기류용적 곡선

사입니다그래프의 호기속도 곡선. 그래프를 보면 흡기속도는 흡기의 중간 부분약 3초일 때이 가장 빠르고, 호기속도는 첫 부분약 1초일 때이 가장 빠르다는 것을 눈여겨 보아두시기 바랍니다.

☞ 1초율$FEV_{1.0}\%$: 기류용적 곡선에서 "숨을 내쉬기 시작해서 처음 1초 동안 밖으로 내쉰 공기의 양이 전체 내쉴 수 있는 공기량의 몇 %인지"를 1초율이라고 합니다. 1초율이 높으면 공기를 빨리 내뱉을 수 있다는 뜻이므로 호흡근육이 튼튼하고 기도저항이 적다는 것을 의미합니다. 기도에 작은 물집같은 것이 있어서 기도가 좁아지면 공기가 기도를 지나가기 어렵기 때문에 "기도저항이 크다."라고 표현합니다.

환기장애

호흡기능검사 결과가 전체 평균보다 많이 부족한 경우를 '환기장애'라고 합니다.

환기장애의 원인은 다음과 같습니다.

☞ 허파와 흉곽^{가슴우리}의 신전에 장애가 있는 경우

☞ 기도저항이 증가한 경우

☞ 허파의 탄성에 변화가 생긴 경우

☞ 세기관지에 이상이 생긴 경우

☞ 호흡운동에 관여하는 근육 또는 신경에 이상이 생긴 경우

일반적으로 폐활량이 전체 평균의 80% 이하로 저하되면 '제한성 환기장애'로 판정합니다. 이는 흉곽 또는 허파의 유연성이 저하되어서 폐활량이 부족한 상태를 나타냅니다. 제한성 환기장애의 원인은 폐섬유종, 진폐, 폐울혈, 기흉, 횡격막을 움직이는 신경의 마비, 척추후만증 등입니다.

1초율이 70% 이하인 경우에는 '폐쇄성 환기장애'로 판정합니다. 폐쇄성 환기장애는 어떤 원인에 의해 기도의 일부가 폐쇄되어 기도저항이 증가한 상태입니다. 폐쇄성 환기장애의 원인은 기관지 종양, 기관지 천식, 만성 폐기종, 이물질이 기도에 끼어 있는 경우 등입니다.

8-2 저선량 흉부CT검사

　호흡기능검사 결과 폐기능에 이상이 있거나 담배를 많이 피우는 사람은 흉부 X-선 촬영을 통해 폐기능이 나빠진 원인을 알아내려고 합니다. 그러나 X-선 촬영은 병변부위의 크기가 작거나 심장에 가려 있으면 원인 발견이 힘들기 때문에 의사들은 CT 촬영을 권합니다.

　CT 촬영이 X-선 촬영보다 방사선 노출량이 많기 때문에 특별히 X-선의 양을 줄여 꼭 필요한 가슴 부위만 CT 촬영하는 검사를 '저선량 흉부 CT검사'라고 합니다. 저선량 흉부 CT검사는 방사선 피폭량이 적으면서도 폐에 암이나 다른 병변이 있는지 비교적 정확하게 알 수 있다는 장점이 있습니다.

과환기

　보통 사람보다 환기량이 적은 '환기장애'만 문제가 되는 것이 아니라, 보통 사람보다 환기량이 너무 많은 '과환기'도 문제가 됩니다.

　심리적 불안으로 호흡곤란을 호소하고, 발작적으로 호흡을 자주함으로써 지나치게 혈중탄산가스 농도가 낮아지는 증상을 과환기에 의한 '알칼리혈증'이라고 합니다. 과환기가 되면 온몸에 힘이 빠지고, 경련이 나며, 심하면 의식을 잃게 됩니다.

8-3
객담검사

일반 검강검진에는 없지만 흉부 X-선 촬영이나 저선량 흉부 CT검사 등을 통해 폐암이 의심되는 경우 환자의 가래를 현미경으로 들여다보아 결핵균이나 암세포 찌꺼기가 가래에 섞여 있는지 알아보는 검사입니다.

우리나라는 한때 결핵 퇴치 국가로 분류된 적도 있었지만, 현재는 결핵 이환율이 높은 국가에 속합니다. 객담검사에서 결핵균이 다량으로 배출된 환자는 다른 사람에게 결핵을 옮기는 감염원 노릇을 하기 때문에 다른 사람과의 접촉을 자제시켜야 할 필요가 있습니다.

객담검사에서 폐암 세포가 발견되면 추가로 암표지자검사 또는 기관지 내시경을 통한 조직검사를 해야 합니다.

폐기능에 이상이 있다는 신호

샛길 지식

» 머리카락이 잘 빠지고 피부 트러블이 잦습니다.
» 숨이 가쁘고 머리가 띵합니다.
» 콧물이 나고 재채기가 잦습니다.
» 의욕이 떨어지고 기운이 없습니다.
» 목소리가 변합니다.

호흡계통의 구조와 기능

호흡계통에는 코, 인두, 후두, 기관, 기관지, 폐가 있으며, 기본적으로 가지가 수없이 많은 나무가 거꾸로 서 있는 형태입니다. 즉 기관은 가장 굵은 줄기이고, 기관지는 여러 방향으로 나누어진 가지이며, 폐에 있는 수많은 폐포들이 잎이 되는 나무와 비슷하기 때문에 '호흡나무'라고도 합니다.

두께가 1마이크론["]도 안 되는 아주 얇은 막으로 이루어진 폐포는 모세혈관이 머리카락처럼 둘러싸고 있어서 그 안에 들어 있는 공기와 모세혈관을 흐르고 있는 혈액 사이에 확산에 의한 가스교환이 일어납니다.

호흡나무와 호흡점막

호흡나무를 이루고 있는 기관 중에서 흉강^{가슴속공간} 바깥에 있는 코 · 인두 · 후두를 '상기도', 흉강 안에 있는 기관 · 기관지 · 폐포를 '하기도'라고 합니다. 상기도에 생긴 증상을 코감기, 하기도에 생긴 증상을 기침감기라 하고, 치료방법은 각각 다릅니다.

호흡나무에서 잎^{폐포}을 제외한 나머지 줄기^{호흡관}의 속벽을 이루고 있는 막을 '호흡점막'이라고 합니다. 호흡점막에서는 점액을 만들어 분비하고, 호흡

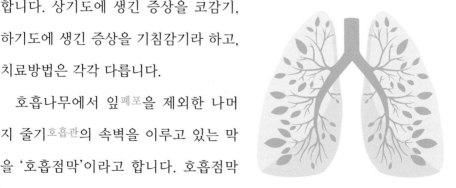

❖ 호흡나무

점막 표면은 섬모로 덮혀 있습니다. 코로 들어가는 공기는 보통 먼지 · 꽃가루 · 박테리아 등으로 오염되어 있는데, 점액이 그것들을 붙잡아 폐포로 들어가는 공기를 깨끗하게 정화시킵니다. 정화시키는 과정에서 생긴 노폐물가래와 콧물을 섬모가 에스컬레이터처럼 한 방향으로 움직여서 목구멍 밖으로 배출시킵니다.

호흡점막은 공기를 정화시키는 작용 이외에 공기를 데우고 촉촉하게 만들어 공기가 폐포에 도착할 때쯤에는 몸 안과 똑같은 상태로 만드는 역할도 합니다. 흡연으로 섬모들이 마비되어 점액이 밖으로 배출되지 못하면 점액을 제거하기 위해 기침을 하는데, 이 기침을 '흡연자의 기침'이라고 합니다.

코, 인두와 후두

공기가 콧구멍을 통해 비강코속공간, 鼻腔으로 들어가면 비강의 속벽을 이루고 있는 호흡점막, 점막의 바로 밑을 흐르는 혈액, 그리고 선반처럼 비강으로 뻗어 나온 3개의 비갑개코선반에 의해 공기가 정화되고, 데워지고, 촉촉해집니다. 비강에 있는 호흡점막 안에는 냄새를 감지하는 신경종말후각수용기이 심어져 있어 냄새도 맡을 수 있습니다.p.202 그림 참조

비강 바로 옆에 있는 전두골이마뼈, 前頭骨, 상악골위턱뼈, 上顎骨, 사골벌집뼈, 篩骨, 접형골나비뼈, 蝶形骨 안에는 동굴같이 비어 있는 공간이 있습니다. 이 공간을 코곁굴 또는 부비강副鼻腔이라고 합니다. 부비강도 호흡점막이 속

벽을 이루고 있어서 점액이 분비됩니다. 그리고 속이 텅 비어 있기 때문에 머리뼈를 가볍게 만들어주는 역할과 소리의 울림통 역할을 합니다.

흔히 목구멍이라고 부르는 인두는 길이가 약 12.5cm이고 소화관과 호흡관의 역할을 동시에 합니다. 귀인두관 또는 유스타키오관이라고 부르는 작은 관이 중이^{가운데귀, 中耳}와 인두를 연결하기 때문에 중이와 외부의 공기압이 똑같이 유지될 수 있습니다. 편도선은 인두점막에 심어진 편도라는 림프조직 덩어리 3개를 말하며, 신체 방어에 아주 중요한 역할을 합니다.

후두는 뒤통수가 아니고, 인두 바로 밑에 있는 목구멍의 일부입니다. 즉 목구멍 중에서 코·입·귀와 모두 연결되어 있는 부분을 '인두'라 하고, 목구멍 중에서 식도·기도·성대와 연결되어 있는 부분을 '후두'라고 합니다.

'후두개^{후두덮개}'는 '음식물은 식도로 보내고, 공기는 기도로 보내는 역할'을 하기 위해 후두의 맨 위에 붙어 있습니다. 후두를 움직이는 근육이 붙어 있는 설골^{목뿔뼈}, 기관을 보호하고 성대의 위치를 마련해주는 갑상연골^{방패연골} 및 윤상연골^{반지연골} 등은 모두 후두의 부품들입니다. 후두 안쪽을 가로질러 뻗어 있는 2개의 짧은 섬유 띠가 '성대'입니다. 후두연골에 붙어 있는 근육들이 성대를 팽팽하게 또는 느슨하게 잡아당기면 음의 높이가 조절됩니다.

후두에 연결되어 있고 길이가 약 11cm인 호흡관^{튜브}을 '기관'이라 합니다. 기관부터는 흉강^{가슴속공간} 안에 있습니다. 기관은 호흡나무의 가장 큰 줄기에 해당하고, 점액 분비와 섬모 운동을 통해 공기 중에 있는 오염물질을 제거하는 역할_{공기의 통로 역할}을 합니다.

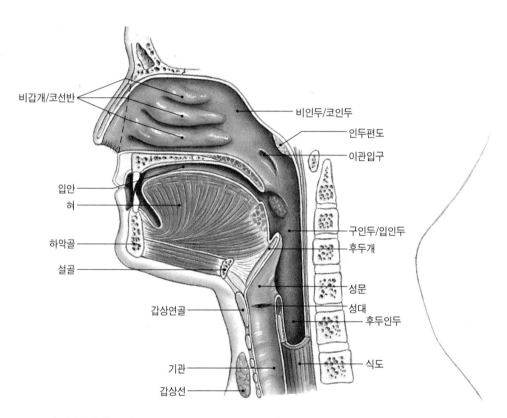

✧ 인두와 후두의 구조

기관과 기관지

외부의 압력 때문에 기관이 찌그러지면 숨을 쉴 수 없게 되기 때문에 연골로 만들어진 C자 모양의 고리 15~20개가 차곡차곡 쌓인 형태로 만들어져 있어서 기관은 찌그러지지 않습니다. 음식이 잘못 넘어가거나 목이 졸려 기관이 막히면 반사적으로 재채기를 해서 기도를 열려고 하는데, 이때 기도가 열리지 않으면 수분 이내에 질식사합니다.

호흡나무에서 가장 큰 줄기인 기관이 두 개로 갈라진 가지를 1차 기관지, 1차 기관지가 다시 갈라진 가지를 2차 기관지, 또 갈라진 것을 3차 기관지라고 합니다. 기관지가 점점 작아지면 C자 모양의 연골고리가 없는 기관지가 되는데, 그것들을 '세기관지'라 하고, 세기관지 중에서 폐포가 붙어 있는 마지막 끝을 '폐포관^{허파꽈리관}'이라고 합니다.

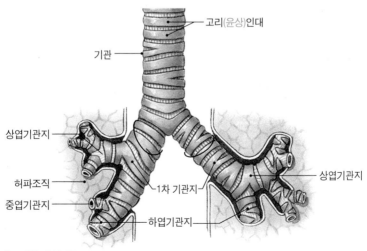

❖ 기관지의 구조

폐포

작은 가지에 포도송이가 붙어 있는 것처럼 폐포관^{허파꽈리관}에는 폐포들
이 수십 개씩 달려 있습니다. 폐포는 공기와 모세혈관을 흐르는 혈액 사
이에서 가스교환이 신속하고 효율적으로 이루어질 수 있게 만들어져 있
습니다.

폐포를 이루는 호흡막의 두께가 1마이크론 이하여서 혈액과 공기가 아
주 가까이서 서로 접하고 있습니다. 그래서 산소와 이산화탄소를 서로 교
환하기 쉽고, 폐포가 수백만 개나 있기 때문에 그 표면적을 모두 합치면
약 100㎡로 몸의 표면적보다 수십 배 넓습니다.

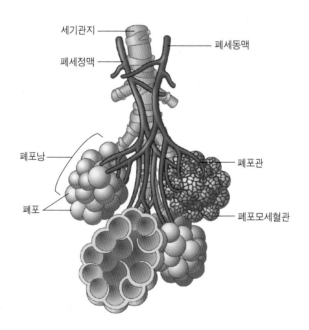

✤ 폐포의 구조

　　폐포 안의 표면은 계면^{경계면}활성제로 덮여 있기 때문에 아주 작은 주머니 안에 공기가 드나들어도 폐포가 찌그러져서 눌러 붙지 않습니다.

　　오른쪽 폐는 3엽, 왼쪽 폐는 2엽으로 되어 있고, 폐 전체를 둘러싸고 있는 막을 '흉막^{가슴막}'이라고 합니다. 흉막은 두 겹으로 되어 있는데, 안쪽에서 폐와 직접 접촉하는 막을 '장측흉막', 밖에서 뼈에 허파를 매달고 있는 막을 '벽측흉막'이라고 합니다. 장측흉막과 벽측흉막 사이에 들어 있는 액체가 윤활유 역할을 합니다.

　　어떤 원인 때문에 장측흉막과 벽측흉막 사이에 액체가 아닌 공기가 들어 있는 상태를 '공기가슴증' 또는 '기흉^{氣胸}'이라 합니다. 기흉이 되면 허파가 부푼 허탈상태가 되어 호흡을 제대로 할 수 없습니다.

폐포의 발생과 노화

샛길 지식

　　폐포는 임신 34주경에야 겨우 발생해서 태어날 때에는 약 5,000만 개가 됩니다. 출생 이후 서서히 증가해서 사춘기가 되면 성인의 폐포 수인 3억 개와 비슷해집니다.

　　30대에 접어들면 폐포는 벌써 노화되기 시작해서 매년 약 4%씩 줄어듭니다. 그러므로 폐는 늦게 생겨서 빨리 늙는 만생조로^{晩生早老}의 장기라고 할 수 있습니다.

호흡운동

사람이 숨을 들이쉬고 내쉬는 호흡운동은 자율신경의 지배를 받아서 호흡근육이 수축하기 때문에 이루어집니다. 평상시의 호흡근육은 횡격막_{가로막}과 외늑간근_{바깥갈비사이근}입니다. 이 두 근육이 수축하면 흉강_{가슴속공간}이 넓어지고, 그러면 흉막_{가슴막} 안에 들어 있는 폐의 부피가 커지기 때문에 공기의 압력이 낮아집니다. 그러면 압력이 높은 외부의 공기가 폐 속으로 들어갑니다.

잠시 후 호흡근육이 수축을 멈추고 이완되면 흉곽_{가슴우리}의 탄력에 의해서 흉강이 좁아집니다. 그러면 폐 속의 압력이 외부보다 더 높아져 공기가 바깥으로 빠져나옵니다. 즉 들숨_{흡기}은 호흡근육의 수축에 의해서 이루어지지만, 날숨은 흉곽_{가슴우리}의 탄력에 의해서 저절로 일어납니다.

그러나 운동, 노래, 작업 등을 할 때에는 더 많은 양의 공기를 들이쉬고 내쉬어야 합니다. 이 경우 횡격막과 외늑간극이 수축해서 공기를 들이쉬는 것은 평소와 같지만, 공기를 강제로 바깥으로 내쉬기 위해서 내늑간근_{속갈비근}과 복근이 호흡근육의 역할을 합니다.

즉 복근이 수축하면서 배 속의 장기를 위로 밀어올리고, 내늑간근이 수축하면서 흉강_{가슴속공간}의 앞뒤 폭을 줄임으로써 더 많은 공기를 내뱉을 수 있게 됩니다.

건강을 위해 밑줄 쫙~

폐에 좋은 음식

도라지   도라지는 당분, 섬유질, 칼슘, 철분이 풍부하고 사포닌saponin과 이눌린inulin 성분이 있어서 기관지의 점액 분비를 촉진하여 목을 보호합니다. 마른기침을 멎게 하고 가래를 없애줍니다.

생강   생강 특유의 향기와 매운 맛을 내는 성분이 오한과 발열 증상을 잡아줍니다. 니코틴을 해독시키고 가래를 제거해주며 폐세포의 재생을 촉진시킵니다.

다시마   피를 맑게 해주어 혈관 건강에 좋을 뿐 아니라 결핵으로 생긴 멍울을 제거하고 담을 풀어줍니다.

율무   폐기능을 활성화해주고, 니코틴을 해독시키며, 가래를 멈추게 합니다.

파뿌리총백탕   파의 흰 부분에는 알리신allicin 성분이 풍부해서 감기로 인한 두통과 발한에 탁월한 효과가 있습니다.

복숭아   니코틴을 분해하고 독성 물질을 제거합니다. 폐세포를 활성화해주고, 혈액순환과 피로회복에 좋습니다.

배즙   기관지염, 기침, 가래에 효과가 있습니다.

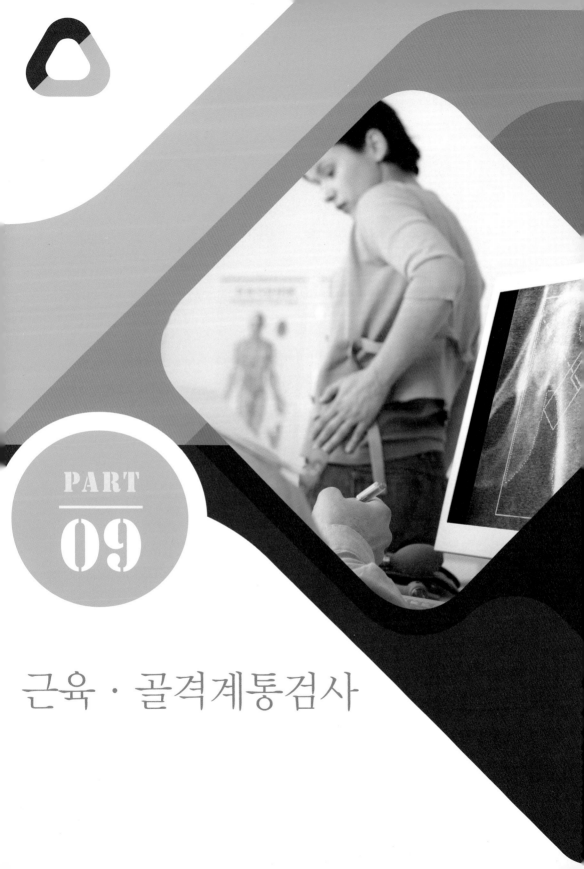

PART
09

근육 · 골격계통검사

9-1 근전도검사

근육이 수축하면 아주 미세하지만 전류가 근육에 흐릅니다. 이 미세한 전류를 침전극 또는 표면전극으로 검출한 다음 증폭시켜서 눈으로 볼 수 있도록 그래프를 그리는 것이 근전도검사입니다.

그러므로 근전도검사는 신경과 근육에서 발생하는 전기적 신호를 기계를 통해 분석해서 말초신경이나 근육에 이상이 있는지 여부를 알아보는 검사입니다.

근전도검사의 종류

근전도검사에는 바늘로 근육을 찔러 시행하는 '침근전도검사'와 피부에 전극을 붙여 검사하는 '표면근전도검사'가 있습니다.

침근전도검사는 검사 결과는 정확하지만, 근육을 수축시키면 통증이 생기기 때문에 검사하는 데에 제한이 있고, 출혈이나 감염의 위험이 있습니다. 반면 표면근전도검사는 검사 결과의 정확성은 떨어지지만, 활동적인 상태에서 검사할 수 있고, 감염의 염려도 없습니다.

병원에서는 피검사자의 상태를 정확하게 알아보기 위해 주로 침근전도검사를 하고, 운동 장면에서는 표면근전도검사를 많이 이용합니다.

일반적으로 침근전도검사는 삽입전위와 자발성 전위, 운동단위 전위, 간섭현상을 순차적으로 분석한 다음 발견된 소견들을 종합해서 판정합니다.

근전도검사 대상자

다음 증상이 있는 사람에게 근전도검사를 권합니다.

- 목의 통증과 동반되는 팔의 저린감이나 근력 약화
- 요통과 동반되는 다리의 저린감이나 근력 약화
- 손바닥저림증
- 골절 후 근력 약화나 저린감 등 감각이상
- 당뇨병 환자의 팔다리저림증
- 이유 없는 사지의 근력 약화
- 팔·다리에 쥐가 자주 날 때
- 팔·다리에 힘이 없고 마를 때
- 안면신경 마비

9-2
삽입전위와 자발성 전위의 분석

근육에 침전극을 삽입하거나 근육 내에서 침전극의 위치를 이동시켰을 때 평균 수백 msec 정도^{약 0.1 ~ 0.2초} 지속되는 전기적 활동이 나타나는 현상을 '삽입전위'라고 합니다^{아래 그림의 화살표 부분}. 근육질환^{근육염, 근긴장증, 근이양증, 근육병변 등}이나 말초신경계질환^{다발성 말초신경병, 수근관증후군 등}이 있으면 삽입전위가 높아지고, 근육이 지방조직화되거나 전해질에 이상이 있으면 삽입전위가 낮아집니다.

근육에 침을 삽입한 후 가만히 있을 때 나타나는 근육의 전기적 활동을 '자발성 전위'라고 합니다^{아래 그림의 오른쪽 끝의 [   ] 부분}. 근육이 떨면서 자발성 전위가 반복적으로 올라갔다 내려갔다 하면^{'양성예파'와 '세동파'가 관찰되면} 근육에 어떤 이상이 있는 경우입니다.

☞ 양성예파 …… +부분이 뾰족뾰족하게 생긴 것.

☞ 세동파 …… 미세한 움직임이 아주 많이 있는 것.

❖ 삽입전위와 자발성 전위

9-3
운동단위 전위의 분석

침전극을 이용해서 운동단위 전위를 기록하는 가장 보편적인 방법은 '피검자가 해당 근육을 약하게 자발적으로 수축시킬 때 근육의 전기적 활동을 기록하는 것'입니다.

운동신경을 통해서 전해온 신경충격이 근육섬유에 도착하고, 그 자극의 크기가 역치전위보다 크면 그 신경과 연결되어 있는 모든 근육섬유에는 수축하는 운동단위의 활동전위motor unit action potential : MUAP가 발생합니다. 그러므로 운동단위 전위는 한 운동단위에 속한 여러 개의 근육섬유의 활동전위를 시·공간적으로 합한 것이라고 할 수 있습니다. 정상적인 운동단위 전위는 아래 그림과 같습니다.

검사자는 운동단위 전위의 지속시간, 진폭, 면적, 상phase, 진동수turn 등을 분석합니다.

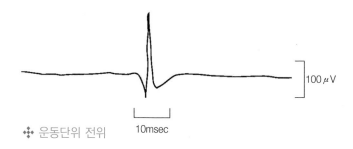

❖ 운동단위 전위

9-4
간섭현상의 분석

　침전극이 근육에 삽입된 상태에서 처음에는 아주 작은 근력을 발휘하도록 수축시키다가 점점 더 큰 힘을 발휘하도록 수축시키면서 근전도의 변화를 관찰하는 것을 '간섭현상의 분석'이라고 합니다.

　간섭현상은 다음 원리를 바탕으로 분석합니다.

☞ 크기의 원리 : 근력의 크기가 커지면 근전도의 진폭이 점점 더 커집니다그림 A.

☞ 신경충격 증가의 원리 : 근력이 강해지면 근전도의 턴turn 수가 증가합니다그림 B.

☞ 최대간섭의 원리 : 근력이 강해지면 근전도의 모양이 복잡해져서 분간하기 어렵게 됩니다그림 C.

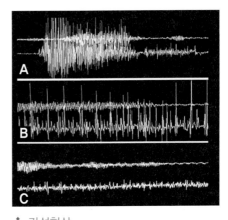

✣ 간섭현상

☞ 동조화의 원리 : 최대근력을 발휘하면 근육이 떨리고 근전도에 단락이 생깁니다.

9-5
C-반응성 단백질검사

혈액 1데시리터dL 안에 C-반응성 단백질이 몇 밀리그램mg 들어 있나?

정상 기준치	0.30mg/dL 이하
높음	세균이나 바이러스에 의한 감염, 관절류마티스, 스트레스 등을 의심

신체의 어떤 부위에 염증이 생기면 신체에서 여러 가지 화학물질이 나와서 염증반응이 심해집니다. 염증에 동반되어 특징적으로 나타나는 화학물질을 '염증표지자'라고 합니다.

C-반응성 단백질C-reactive protein : CRP은 급성 염증에 의해 신체조직의 일부가 붕괴되면 혈액 속에 증가하는 단백질입니다. 즉 CRP는 염증이 생기면 즉시 혈액 속에서 발견되고, 염증이 사그라들면 정상으로 되돌아오는 염증표지자입니다. 그래서 병이 진행된 정도나 치료의 경과 등을 알아보는 데에 대단히 유용한 검사입니다.

9-6
크레아틴 포스포키나제검사
(근육염증검사)

혈액 1리터ᴸ 안에 크레아틴 포스포키나제가 몇 국제표준단위ᴵᵁ 들어 있나?

정상 기준치	남성 50~250 IU/L 여성 45~210 IU/L
낮음	갑상선기능항진증이나 홍반루푸스lupus erythematosus를 의심
높음	근육의 염증이나 심장근육의 염증 또는 근위축증muscular atrophy을 의심

신체를 움직이려면 에너지가 필요한데, 그 에너지를 만들어내는 효소가 크레아틴 포스포키나제creatine phosphokinase : CPK입니다. CPK는 골격근·심장근·내장근 모두에 존재하는데, 이들 근육에 병이 생겨서 파괴되면 혈액 속으로 CPK가 흘러들어갑니다.

사고로 인해 근육이 오랫동안 압박을 받다가 풀려나면 CPK 수치가 급증하고, 심하게 운동을 하거나 근육주사를 맞아도 CPK 수치가 증가합니다. 70세 이상 고령자나 먹는 피임약을 사용하는 여성은 CPK 수치가 내려갑니다.

9-7
다중 알레르기항원검사

혈액 1밀리리터ᵐᴸ 안에 알레르기항원이 몇 국제표준단위ᴵᵁ 들어 있나?

정상 기준치	▪ 면역글로불린 E의 총량Total IgE이 100 IU/mL 미만 ▪ 나머지 62개 항목은 3.49 IU/mL 미만

　　집먼지진드기나 꽃가루와 같이 보통 사람에게는 별로 해롭지 않은 물질에 대하여 지나치게 면역반응을 보이는 증상을 '알레르기allergy'라고 합니다.

　　알레르기 유발인자는 집먼지진드기, 꽃가루, 애완동물의 털이나 비듬, 곰팡이, 미세먼지, 황사, 찬바람, 일부 의약품 등입니다. 알레르기 유발인자는 사람마다 다르기 때문에 그 종류는 대단히 많다고 할 수 있습니다.

　　알레르기가 의심될 때 원인이 되는 항원물질이 무엇인지 알아보기 위해서 약 62가지 항원에 대한 알레르기검사를 한꺼번에 할 수 있는 검사를 '다중 알레르기항원검사Multiple Allergen Simultaneous Test : MAST'라고 합니다.

　　위의 기준치는 알레르기가 없는 사람이 다중 알레르기항원검사를 했을 때의 수치입니다.

아토피와 면역글로불린

음식물이나 흡입물질에 대한 알레르기 반응이 유전적으로 발생한 증상을 '아토피Atopy'라고 합니다. 아토피질환에는 아토피피부염, 알레르기비염, 천식, 알레르기결막염 등이 있습니다.

아토피질환의 주된 증상은 심한 가려움증이고, 피부건조증과 피부병변을 동반합니다.

아토피질환은 어린이들에게서 주로 나타나지만, 청소년기를 지나면서 저절로 고쳐지는 경우도 있고, 어른이 되어서도 계속되는 경우도 있습니다. 그러나 저절로 낫기를 기다리지 말고 치료해야 합니다.

아토피질환의 원인은 확실히 밝혀진 것은 없고 유전적 요인, 면역적 요인, 환경적 요인, 피부장벽피부가 외부물질이 체내로 들어오지 못하도록 벽 역할을 하는 것이상 등의 복합적인 작용으로 볼 수 있습니다.

면역글로불린Immune globulin : Ig은 혈액에 들어 있는 단백질의 일종으로, 항원이 몸속에 들어오면 항체를 만들어서 그에 대항하는 물질입니다. 사람의 면역글로불린에는 Ig G, A, M, D, E가 있습니다.

알레르기반응을 일으키는 물질이 우리 몸에 들어오면 Ig E가 많이 생기기 때문에 혈액 속에 들어 있는 Ig E의 총량을 조사하면 알레르기 반응인지 아닌지를 알 수 있습니다.

근육의 구조와 기능

우리의 몸에는 세 종류의 근육^{골격근, 심장근, 내장근}이 있습니다. 그중 심장을 움직이는 심장근육과 내장이나 혈관에 있는 내장근육은 내 맘대로 움직일 수 없기 때문에 '불수의근'이라 하고, 팔·다리에 붙어 있는 골격근은 내 맘대로 움직일 수 있기 때문에 '수의근'이라고 합니다.

대부분의 골격근은 양쪽 끝이 서로 다른 뼈에 붙어 있습니다. 골격근이 수축하면 뼈가 따라서 움직이고, 체중의 약 40%는 골격근의 무게입니다.

현미경으로 골격근을 보면 실같이 길고 가늘게 생긴 '근육세포'들이 다발을 이루고 있기 때문에 골격근세포를 '근육섬유'라고 부르는 경우가 더 많습니다. 근육섬유는 1개의 세포인데도 불구하고 세포핵이 여러 개 있으며 줄무늬가 있는 것이 특징입니다.

심장근육에도 줄무늬가 있지만, 심장근육은 서로 얼기설기 짜인 그물같은 구조를 하고 있고, 골격근은 긴 섬유들이 빗자루처럼 나란히 늘어서 있는 구조를 하고 있다는 점이 다릅니다.

근육의 기관과 기능

하나하나의 근육섬유를 둘러싸고 있는 얇은 막을 '근섬유막', 몇 개인가의 근육섬유들을 다발처럼 묶고 있는 막을 '근다발막', 몇 개의 근다발을 묶어서^{한 개의 근육 전체를 묶어서} 근육과 뼈 또는 피부를 구별할 수 있게 하는 막을 '근막'이라고 합니다.

골격근은 뼈와 연결하기 위해 뼈에 가까이 갈수록 점점 더 가늘어지면서 뼈와 비슷한 모양으로 변하는데, 그것을 '힘줄' 또는 '건'이라 합니다. 그리고 근섬유막, 근다발막, 근막, 건힘줄을 합쳐서 근육의 '결합조직'이라고 부릅니다.

두 뼈에 붙어 있는 골격근이 수축했을 때 조금 움직이는 뼈에 붙어 있는 점을 '시작점origin', 많이 움직이는 뼈에 붙어 있는 점을 '정지점insertion'이라 합니다. 그리고 근육의 시작점과 정지점 사이에서 뼈와 뼈가 만나는 점을 '관절joint'이라고 합니다. 대부분의 골격근은 몸통에 가까운 쪽 뼈에 시작점이 있고, 중간에 있는 관절을 지나서 몸통과 먼쪽 뼈에 정지점이 있습니다.

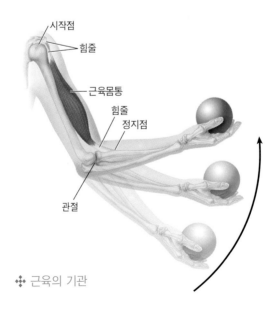

✛ 근육의 기관

근육은 다음 3가지 기능을 수행합니다.

움직임

골격근의 근육섬유가 수축하면 길이가 짧아지기 때문에 정지점에 있는 뼈가 시작점이 있는 뼈 쪽으로 움직이는데, 그동안 시작점에 있는 뼈는 제자리에 단단하게 고정되어 있습니다.

근력은 근육이 수축될 때에만 발생하는 것이 아니라 근육이 늘어날 때에도 발생합니다. 예를 들어 철봉에 매달려 있다가 힘이 빠져서 팔꿈치가 점점 펴질 때 팔 근육은 길이가 늘어나고 있지만 근력은 발휘되고 있는 상태입니다.

근육의 길이가 짧아지면서 근력을 발휘하는 것을 '단축성 수축', 반대의 것을 '신장성 수축'이라고 합니다.

어떤 움직임을 일으키기 위해 근육이 수축할 때에는 1개의 근육이 아니라 몇 개의 근육이 팀으로 협동해서 작용해야 움직임이 부드럽고 우아합니다.

이때 근육이 하는 역할에 따라 주동근, 협동근, 대항근^{길항근}으로 분류합니다. 원하는 동작을 일으키는 근육을 주동근이라 하고, 주동근을 도와서 동작을 강력하게 만드는 근육을 협동근, 주동근과 반대 방향에 있는 근육을 대항근이라고 합니다. 대항근은 동작을 정확하게, 세밀하게, 부드럽게 만듭니다.

자세 유지

우리가 서 있거나 앉은 자세를 유지할 수 있는 이유는 지속적인 저강도의 근수축이 있기 때문인데, 그것을 '근육의 긴장수축'이라고 합니다. 즉 근육의 긴장수축은 상대적으로 아주 적은 수의 근육섬유가 수축하는 것입니다. 따라서 이때에는 전체적인 근육의 길이가 변하지 않기 때문에 아무런 움직임도 일어나지 않습니다.

근육 긴장이 중력과 맞서기 때문에 자세를 유지할 수 있습니다. 예를 들어 서 있을 때 중력은 머리와 몸통을 아래·앞쪽으로 잡아당기려 하지만, 등과 목에 있는 근육 긴장이 중력을 극복할 수 있을 정도의 힘으로 반대쪽으로 잡아당기기 때문에 똑바로 선 자세를 유지할 수 있습니다.

열 생산

건강하게 생존하는 것은 체온을 일정하게 유지할 수 있는 능력에 달려 있습니다. 체온이 37℃에서 1~2℃만 상승 또는 하강해도 생명 유지에 심각한 어려움이 생깁니다.

우리가 음식물로 섭취한 에너지의 일부는 근육이 수축하는 기계적 에너지로 쓰이지만, 대부분의 에너지는 체온을 일정하게 유지하는 열에너지로 쓰입니다. 추울 때 몸을 부르르 떠는 것은 열에너지를 얻어서 체온을 유지하려는 것이고, 더울 때 땀이 나는 것은 열에너지를 방출해서 체온을 낮추려는 것입니다.

근수축의 기본원리

영국의 생리학자 토마스 헉슬리가 설명한 근수축의 기본원리가 '근육활주이론sliding filament theory'입니다. 당시에는 전자현미경이 없었기 때문에 이론적인 설명으로 그쳤지만, 지금은 대부분 정설로 받아들이고 있습니다.

근육섬유는 하나의 긴 섬유처럼 보이지만 실제로는 액틴 필라멘트가는 근육섬유와 마이오신 필라멘트굵은 근육섬유가 마주 바라볼 수 있도록 격자 구조로 늘어서 있습니다. 근육을 수축시키라는 명령신경충격이 근육섬유에 도달하면 액틴 필라멘트가 마이오신 필라멘트와 더 많이 겹쳐지도록 미끄러져 들어갑니다활주합니다.

골격근의 줄무늬는 액틴과 마이오신 필라멘트가 겹치는 부분입니다.

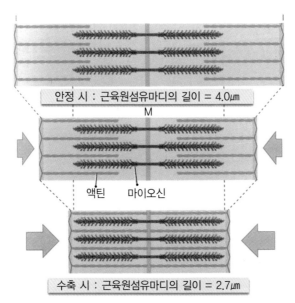

안정 시 : 근육원섬유마디의 길이 = 4.0㎛

M

액틴   마이오신

수축 시 : 근육원섬유마디의 길이 = 2.7㎛

❖ 근수축의 원리

근력의 조절

사람이 일을 하거나 운동을 할 때 힘의 세기를 조절하는 원리는 다음과 같습니다. 다음의 내용을 알면 근전도검사에서 왜 운동단위전위와 간섭현상을 분석하는지 이해할 수 있을 것입니다.

☞ 실무율all or none law : 실험실에서 근육섬유 1개를 떼어놓고 신경자극의 세기를 바꾸어가면서 근수축력이 얼마나 되는지 알아보았더니 신경자극의 세기가 어느 정도에 다다를 때까지는 근육섬유가 수축하지 않았습니다. 근육섬유가 수축하기 시작하는 신경자극의 세기를 '신경자극역치'라고 합니다.

☞ 신경자극의 세기를 역치문턱값보다 더 세게 주었더니 발휘되는 근력의 크기는 변하지 않았습니다. 신경자극역치 이하의 자극을 주면 근육섬유가 전혀 수축하지 않고, 신경자극역치 이상의 자극을 주면 근육섬유가 일정하게 수축하는 것을 '실무율'이라고 합니다.

☞ 운동단위motor unit : 골격근은 대뇌의 명령을 받아야 수축하는 수의근이므로 운동신경이 연결되어 있습니다. 대뇌가 팔 근육을 수축시키라는 명령을 단 1개의 운동신경을 통해서 내린다면, 해당 운동신경에 이상이 생겨 팔 근육 전체가 움직이지 않을 것입니다.

다행히 대뇌의 운동명령을 전달하는 운동신경이 적게는 수십 개에서 많게는 수천 개에 이르기 때문에 운동신경에 약간의 이상이 생겨도 근육 전체가 마비되지 않습니다.

근육섬유의 수는 운동신경의 수보
다 더 많고, 1개의 운동신경에 여러 개
의 근육섬유가 매달려 있습니다. 이
때 '1개의 운동신경+그 신경에 매달
려 있는 근육섬유 전체'를 '운동단위'
라고 합니다. 같은 운동단위에 속해 있
는 근육섬유들은 자극역치가 모두 같
습니다. 즉 하나의 운동단위에 속해 있
는 근육섬유는 동시에 수축합니다.

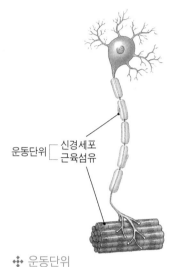

운동단위 ┌ 신경세포
         └ 근육섬유

❖ 운동단위

하나의 운동신경에 매달려 있는 근육섬유의 수가 많은 운동단위가
'큰 운동단위'인데, 일반적으로 큰 운동단위일수록 자극역치도 크고,
발휘하는 근력도 큽니다.

자세를 유지할 때에는 작은 운동단위만 수축하고, 힘든 운동을 할 때
에는 작은 운동단위, 중간 운동단위, 큰 운동단위가 모두 수축합니다.

☞ 자극빈도stimulation frequency : 같은 운동단위라도 신경자극이 자주 오면
발휘되는 근력이 점점 더 커집니다. 신경자극이 와서 근육이 수축했다
가 미처 이완되기 전에 새로운 신경자극이 도달해서 다시 수축하면 남
아 있던 근력과 새로 수축하면서 생긴 근력이 합쳐지기 때문입니다.

그러나 근력이 한없이 커질 수는 없고 한계가 있습니다. 신경자극
이 너무 빨리 오면 근육섬유가 수축할 수 있는 준비가 되어 있지 않아
서 더 이상 수축하지 않기 때문입니다.

9-8
골밀도검사

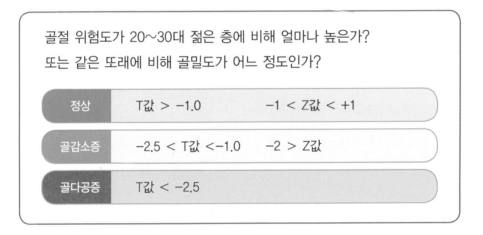

골절 위험도가 20~30대 젊은 층에 비해 얼마나 높은가?
또는 같은 또래에 비해 골밀도가 어느 정도인가?

정상	T값 > −1.0	−1 < Z값 < +1
골감소증	−2.5 < T값 <−1.0	−2 > Z값
골다공증	T값 < −2.5	

　　뼈의 밀도^{골밀도}는 20대 중반이 되면 최고치에 도달했다가 그 뒤부터 서서히 줄어듭니다. 특히 50세 전후의 폐경기 2년 동안에 뼈가 가장 많이 손실됩니다. 우리나라 50세 이상 여성 10명 중 3명 이상이 작은 충격에도 뼈가 부러지거나 다칠 위험이 높은 골감소증환자로 알려져 있습니다.

　　다이어트를 무리하게 반복하는 젊은 여성들도 골다공증에서 벗어나기 어렵습니다. 최근에는 남성에게도 골다공증이 자주 발생하고 있으니 주의해야 합니다.

대표적인 골밀도검사 방법은 '이중에너지 X선 흡수계측법'입니다. 검사하려는 부위를 에너지가 높은 X선으로 촬영한 다음 에너지가 낮은 X선으로 다시 한 번 촬영합니다. 두 번 촬영해서 얻은 X-선 사진을 이용하여 컴퓨터가 골밀도를 계산합니다. 이 방법은 별도의 준비가 필요 없고, 시간도 5분 이내로 걸리면서 검사의 신뢰도가 높아서 자주 이용됩니다.

X선 외에 초음파, 컴퓨터단층촬영, 자기공명영상 등의 방법으로 골밀도검사를 하기도 합니다.

골밀도검사는 보통 허리뼈^{L1~4}와 대퇴골^{넙다리뼈}의 골밀도를 측정하여 가장 낮은 값을 기준으로 평가합니다. 골밀도 자체를 가지고 평가하는 방식이 아니라 젊은 사람과 비교해서 상대적으로 평가합니다. 다음 페이지에 있는 그림은 골밀도검사 결과지의 일부인데, 이것으로 측정 부위^{Region}, 골밀도^{BMD}, T-Score, Z-Score 등을 확인할 수 있습니다.

T-Score는 '(피검자의 측정값−20~30대의 같은 성 집단의 골밀도 평균값)/표준편차'로 계산합니다. 즉 골밀도가 가장 높은 나이의 사람들에 비해 골밀도가 얼마나 낮은지를 나타내는 수치입니다. 나이가 많은 사람은 T값이 −가 나올 수밖에 없고, −수치가 높을수록 골절 위험이 높습니다.

어린이, 청소년, 폐경 전 여성, 50세 이전의 남성^{모든 사람을 대상으로 하는 것이 아님}의 경우 젊은이들의 평균치와 비교한 T값이 큰 의미가 없기 때문에 Z값을 이용해서 평가합니다. Z값은 '(피검자의 측정값−동일 연령 동일 성

228

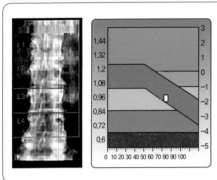

척주

부위	골밀도	T-Score		Z-Score	
L1	0.933	−1.9	80%	0.1	101%
L2	0.938	−1.9	81%	0.1	102%
L3	0.965	−1.7	83%	0.3	103%
L4	0.949	−1.8	81%	0.2	102%
L1~L2	0.935	−1.9	81%	0.1	102%
L1~L3	0.945	−1.8	81%	0.2	102%
L1~L4	0.946	−1.8	81%	0.2	102%
L2~L3	0.952	−1.8	82%	0.2	103%
L2~L4	0.951	−1.8	82%	0.2	102%
L3~L4	0.957	−1.8	82%	0.3	103%

대퇴골

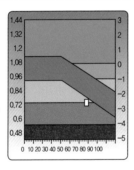

부위	골밀도	T-Score		Z-Score	
Neck	0.786	−2.3	80%	−0.7	92%
Wards	0.786	−2.3	80%	−0.7	92%
Troch	0.720	−2.8	75%	−1.1	88%
Shaft	0.808				
합계	0.764	−2.5	78%	−0.8	91%

❖ 골밀도검사 결과지

집단의 평균값)/표준편차'로 계산합니다. 즉 같은 또래의 사람들보다 골밀도가 높은지 낮은지를 나타내는 수치입니다. Z값이 +2 이상이면 아주 높고, −2 이하이면 아주 낮다고 평가합니다.

골밀도검사를 통해 골다공증 진단을 받았다면 완전한 치유는 어렵습니다. 다만 악화를 막고 골밀도를 높일 수 있도록 생활습관을 바꾸어야 합니다. 골밀도검사를 하면 골다공증, 골연화증, 부갑상선기능항진증, 신성골이영양증_{신장의 질환 때문에 뼈속의 칼슘과 인이 부족하게 되어서 생기는 병들의 총칭}도 함께 진단할 수 있습니다.

뼈는 자극을 받을수록 밀도가 높아지므로 골다공증 예방을 위해서는 적절한 운동이 가장 중요합니다. 웨이트트레이닝, 뛰기, 걷기를 권장합니다. 그러나 수영이나 자전거타기는 뼈에 주는 직접적인 자극은 적기 때문에 골밀도 증가 효과는 적습니다.

주 2회 이상 15분 정도 햇볕을 쬐어 뼈에 필요한 비타민 D를 합성하고, 칼슘이 함유된 음식을 많이 먹고, 뼈가 부러지지 않도록 주의해야 합니다. 최근 술·담배·비만·운동부족 등으로 남성들에게서도 골다공증이 나타나고 있으니 주의해야 합니다.

젊은 여성이라도 생리불순을 보이면 에스트로겐_{여성호르몬} 양이 적어서 조기 폐경이 올 수도 있으므로 골다공증 예방을 해야 합니다.

골격계통의 기능

여러 개의 뼈가 서로 연결된 인체의 기본 모양을 '골격^{骨格}' 또는 '뼈대'라고 합니다. 골격이 신체 전체를 지지하는 구조체라는 점에서 보면 건물의 기둥과 같지만, 하나하나의 뼈는 살아 있는 기관이라는 점에서 보면 건물의 기둥과는 다릅니다.

뼈는 살아 있는 기관이기 때문에 환경에 적응해서 모양이 바뀔 수도 있고 성장할 수도 있으며, 일부에 손상을 입으면 다시 만들어서 원래 모양을 되찾을 수도 있습니다.

골격계통의 기능을 요약하면 다음과 같습니다.

☞ 지지 : 뼈가 신체를 지지하는 프레임워크^{framework}를 구성합니다. 신체의 모든 부드러운 조직^{연조직}은 뼈대에 매달려 있습니다.

☞ 방호 : 뼈는 섬세한 구조체를 방호합니다. 예를 들어 머리뼈는 뇌를 방호하고, 가슴뼈와 갈비뼈는 심장과 허파를 방호합니다.

☞ 움직임 : 뼈를 단단히 묶고 있는 근육이 수축하여 뼈를 잡아당기면 뼈가 움직입니다. 뼈대에 있는 가동관절이 그런 움직임을 가능하게 합니다.

☞ 창고 : 뼈는 칼슘을 안전하게 저장하는 창고의 역할을 합니다. 혈중 칼슘량이 증가하면 칼슘이 혈액에서 나와 뼈 속으로 들어가고, 반대로 혈중 칼슘량이 정상 수준 이하로 내려가면 뼈 속에서 칼슘이 나와 혈액 속으로 들어갑니다.

☞ 조혈 : 일부의 뼈^{특히 긴뼈} 속에 들어 있는 적색골수는 혈액을 만듭니다.

뼈의 종류와 구조

    뼈는 전체적인 구조에 따라 긴뼈, 짧은뼈, 납작뼈, 불규칙뼈의 4종류로 나누지만, 몇몇 학자들은 힘줄 속에서 발생하는 종자뼈를 추가하기도 합니다. 4종류의 뼈 중에서 긴뼈의 구조를 알아두면 뼈의 구조적인 특징을 쉽게 알 수 있습니다.

    뼈의 구조는 다음과 같습니다.

👁 **뼈몸통** : 딱딱하고 치밀한 뼈로 되어 있고, 속이 비어 있습니다.

👁 **골수강**^{뼈속질공간} : 뼈몸통 안쪽 공간으로, 어른 뼈에는 부드러운 황색골수^{황색뼈속질}가 들어 있습니다.

👁 **뼈끝**^{골단} : 해면뼈가 뼈끝을 구성하고 있고, 해면뼈 안에 있는 작은 공간을 적색골수^{적색뼈속질}가 채우고 있습니다.

👁 **관절연골** : 관절하고 있는 뼈의 끝을 덮어 싸고 있는 얇은 연골층으로, 고무 쿠션과 같은 역할을 합니다.

👁 **뼈막** : 강력한 섬유막으로, 관절 표면을 제외한 모든 부분을 덮어 싸고 있습니다.

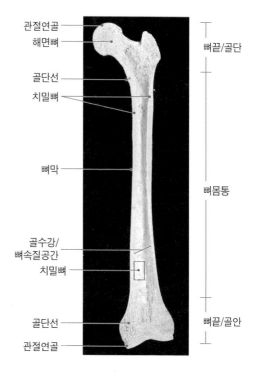

관절연골
해면뼈
뼈끝/골단
골단선
치밀뼈
뼈막
뼈몸통
골수강/
뼈속질공간
치밀뼈
골단선
뼈끝/골안
관절연골

❖ 뼈의 구조

🐾 해면뼈 : 여유 공간이 많아서 골수_{뼈속질}로 채울 수 있습니다.

🐾 치밀뼈와 연골 : 빈 공간이 얽혀 있는 것이 아니라 '뼈단위'라고 하는 수많은 구조 단위가 바탕질을 이루고 있고, 양파 껍질처럼 여러 개의 층_{뼈단위층판}을 이루고 있습니다. 생명이 없는 것처럼 보이는 바탕질에 뼈세포 방이 있는데, 그 안에 있는 뼈세포는 중심관을 통해 영양물질을 공급받습니다.

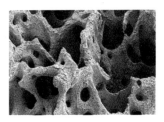

✛ 해면뼈

치밀뼈는 석회화된 시멘트질 바탕에 콜라겐섬유_{collagenous fiber}가 박혀 있고, 연골은 젤라틴처럼 유연성이 있는 바탕에 콜라겐섬유가 박혀 있습니다.

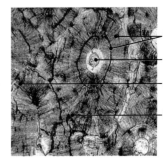

뼈단위층판
중심관
모세관
뼈세포방

✛ 치밀뼈

뼈세포 방에 갇힌 뼈세포는 혈관을 통해서 직접 영양분을 공급받지만, 연골세포 방에 들어 있는 연골세포는 혈관이 없기 때문에 바탕질을 통한 확산에 의하여 영양분을 공급받습니다. 그래서 연골이 상하면 뼈를 다쳤을 때보다 치료가 어렵고, 치료기간도 깁니다.

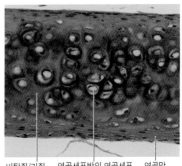

바탕질/기질　연골세포방의 연골세포　연골막

✛ 연골조직

🐾 골단선_{뼈끝선} : 긴뼈의 끝에 있는 골단선은 연골이 남아 있고, 길이가 더 늘어날 가능성이 있기 때문에 '성장점_{자람점}'이라고도 합니다.

9-9
항CCP항체검사
(류머티스활성도검사)

혈액 1데시리터^{dL} 안에 항CCP항체가 몇 밀리그램^{mg} 들어 있는가?

정상 기준치	15mg/dL
높음	류머티스 관절염을 의심

관절에 염증이 생겨서 관절활막이 퉁퉁 부어올라 터져버리면, 그 속에 들어 있던 관절액이 쏟아져서 없어집니다. 그러면 염증이 악화되어 뼈와 연골이 닳아 없어지거나 모양이 변하는 증상이 '류머티스 관절염'입니다.

흔히 '퇴행성 관절염'이라 부르는 골성 관절염은 나이가 먹도록 오래 동안 관절을 사용했기 때문에 관절이 닳아 없어지고, 없어진 관절을 다시 만들어서 보충해주는 속도가 느리기 때문에 발생하는 관절염입니다.

류머티스 관절염은 처음에는 손가락·발가락·손목 등에 병변이 생기지만, 나중에는 발목·팔꿈치·어깨·무릎관절로 확대됩니다. 초기에는 통증과 종창이 주된 증상이지만, 나중에는 관절 모양이 변형되고 움직이기 어렵게 됩니다. 류머티스 관절염의 원인은 아직 밝혀지지 않았고, '자가면역이상'이 주된 원인으로 추정되고 있습니다.

그동안은 류머티스인자rheumatoid factor : RF를 사용해서 류머티스 관절염을 진단해왔으나, 민감도병이 있는 사람을 병이 있다고 판정할 확률와 특이도병이 없는 사람을 병이 없다고 판정할 확률가 낮다는 문제가 있었습니다. 즉 RF검사로는 류머티스 관절염과 골성 관절염을 정확히 구분할 수 있는 확률이 50~70%밖에 안 되었습니다류머티스 관절염과 골성 관절염은 전혀 다른 질병입니다.

최근 '항CCP항체검사anti-cyclic citrullinated peptide antibody'를 하게 됨으로써 민감도와 특이도가 크게 향상되었습니다. 이 항체는 질환 초기에 관찰될 뿐 아니라 발병되기 전에 양성으로 나타나기 때문에 류머티스 관절염의 조기진단과 치료, 평가 및 예후 판단에 크게 도움이 되고 있습니다.

자가면역질환

자신의 몸속에 이물질이 들어왔을 때 이물질에 대한 항체를 만들어서 대항하는 능력을 '면역력'이라고 합니다. 그런데 면역체계에 이상이 생겨서 자신의 신체조직을 이물질로 오인해서 항체를 만들어 자신의 신체조직을 계속적으로 공격하는 것을 '자가면역질환autoimmune disease'이라고 합니다. 자가면역질환은 인체의 모든 조직과 장기에서 일어날 수 있습니다.

류머티스 관절염관절을 공격, 용혈성 빈혈적혈구를 공격, 갑상선기능 항진증 또는 저하증갑상선을 공격, I형 당뇨병췌장의 베타세로를 공격, 홍반성 낭창얼굴 등에 나비모양의 붉은 반점이 생김 등이 대표적인 자가면역질환입니다.

가동관절과 연골의 구조

출생 전 태아의 뼈대가 만들어질 때에는 뼈가 바로 만들어지는 것이 아니라 뼈 모양의 연골과 섬유구조체가 먼저 만들어집니다. 출생 후 아기가 점점 자라면서 연골의 일부가 석회화되어 뼈가 만들어지기 때문에 연골의 양은 계속 줄어들고 뼈의 양은 점점 더 늘어납니다.

인체의 뼈 중에서 설골^{목뿔뼈, 舌骨}를 제외한 모든 뼈들은 1개 이상의 다른 뼈와 연결되어 있습니다. 뼈와 뼈가 서로 연결되어 있는 것을 "관절하고 있다."라고 하며, 두 개 이상의 뼈가 관절하고 있는 구조체를 '관절'이라고 합니다.

관절에는 두 뼈가 서로 움직일 수 없는 '부동관절', 두 뼈를 연골이 연결하고 있어서 아주 조금밖에 움직일 수 없는 '반관절', 그리고 두 뼈가 비교적 자유롭게 움직일 수 있는 '가동관절'이 있습니다. 부동관절에는 머리뼈의 봉합이 있고, 반관절에는 두덩결합과 척추뼈의 몸통과 몸통을 연결하는 사이원반이 있습니다.

가동관절에는 관절낭^{관절주머니}, 관절강^{관절속공간}, 관절하고 있는 두 뼈의 끝을 덮어 싸고 있는 연골층이 있습니다. 관절낭은 아주 질긴 섬유결합조직인데, 속벽은 부드럽고 매끈매끈한 윤활막이 덮고 있습니다. 관절낭은 각 뼈의 몸통에 단단히 붙어서 뼈막을 형성하기 때문에 뼈들을 결합시키고 동시에 관절에서 뼈가 움직일 수 있게 해줍니다.

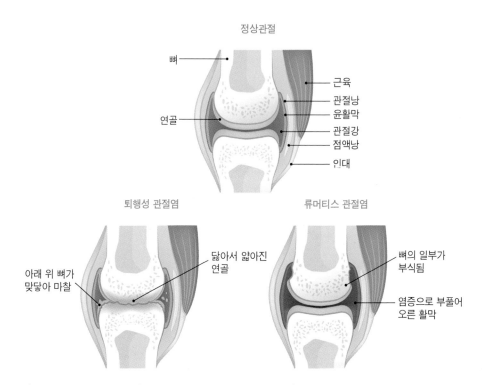

정상관절

뼈

근육
관절낭
윤활막
관절강
점액낭
인대

연골

퇴행성 관절염

닳아서 얇아진
연골

아래 위 뼈가
맞닿아 마찰

류머티스 관절염

뼈의 일부가
부식됨

염증으로 부풀어
오른 활막

❖ 정상관절과 이상관절(퇴행성 관절염, 류머티스 관절염)

　인대는 관절낭처럼 강력한 섬유결합조직으로 만들어진 띠이며, 뼈막에
서 자라 두 뼈를 한 층 더 단단하게 묶어줍니다.

　연골은 두 뼈가 부딪칠 때 충격을 흡수하는 역할을 하는데, 윤활막^{활막}
에서 윤활액을 관절강으로 분비하기 때문에 뼈가 움직일 때 마찰이 적어
져서 쉽게 움직일 수 있습니다.

　관절에 생기는 병증에는 관절연골이 닳아 없어진 퇴행성 관절염이 가
장 많고, 관절낭이나 관절 주위의 인대에 이상이 있는 경우도 있습니다.

건강을 위해 밑줄 짝~

뼈에 좋은 음식

칼슘 섭취에 좋은 음식 우유, 치즈, 요거트, 두유, 아몬드 등 유제품과 순무, 케일, 동부콩, 브로콜리 등의 채소시금치는 별로 좋지 않습니다, 그리고 정어리 통조림이나 연어, 통곡물 시리얼이 있습니다.

비타민 D 섭취에 좋은 음식 황새치, 연어, 참치, 고등어와 같은 생선 및 소 간, 치즈, 계란 노른자가 있습니다. 음식 섭취 외에 햇빛을 쬐는 것도 중요합니다.

마그네슘 함량이 높은 음식 아몬드, 캐슈넛, 땅콩, 시금치, 콩류와 통곡물특히 검은콩과 대두가 좋다, 아보카도, 껍질 째 먹는 감자가 있습니다.

비타민 B 함량이 높은 음식 비타민 B_{12}는 골모세포뼈를 만드는 엄마 세포 형성에 중요합니다. 간이나 콩팥과 같은 내장육, 소고기와 사슴고기와 같은 붉은 육류, 조개나 굴과 같은 조개류가 있습니다.

비타민 C를 섭취하기 위한 음식 뼈는 콜라겐으로 이루어져 있고 칼슘에 의해 강화됩니다. 비타민 C가 콜라겐 합성을 증진시키므로 딸기, 자몽, 귤, 오렌지, 토마토, 브로콜리, 시금치와 같이 비타민 C가 들어간 음식을 충분히 섭취해주면 뼈의 무기질 농도를 높일 수 있습니다.

비타민 K를 섭취하기 위한 음식 비타민 K는 골밀도를 높이고 골절을 입을 확률을 낮춰줍니다. 시금치, 케일, 브로콜리, 콜라드, 순무, 대두와 견과류로 만든 식물성 기름이 있습니다.

PART
———
10

생식계통검사

여성은 유방암뿐 아니라 여러 가지 유방질환이 생길 수 있기 때문에 정기적으로 유방검진을 받는 것이 좋습니다.

다음과 같은 증상이 있으면 꼭 유방검진을 받아야 합니다.

☞ 가슴이나 겨드랑이에 지속적으로 통증이 있을 때

☞ 유방에서 멍울이나 결절이 발견될 때

☞ 유방의 크기나 모양에 큰 변화가 생겼을 때

☞ 유방에 반점 또는 발진이 생겼을 때

☞ 유두의 위치나 모양이 변하였을 때

☞ 젖분비샘^{수유선}에서 분비물이 나올 때

☞ 겨드랑이나 쇄골 부분에 부종이 생겼을 때

흔히 유방을 손으로 만져보는 자가진단을 하면 유방암을 빨리 발견할 수 있다고 하지만, 실제로는 손으로 만져서 발견하는 경우보다 X-Ray 촬영 또는 초음파검사로 발견될 때가 더 많습니다.

유방암의 위험인자

유방암의 원인은 아직 정확히 밝혀지지 않았습니다. 다만 유방암환자 집단에서 많이 발견되는 특징이 있는데, 이를 '유방암의 위험인자'라고 합니다. 유방암의 위험인자에는 여성 호르몬에스트로겐, 연령 및 출산 경험, 수유, 음주, 방사선 노출, 유방암의 가족력 등이 있습니다.

난소에서 분비되는 에스트로겐난포호르몬과 프로게스테론황체호르몬을 합쳐서 여성 호르몬이라 합니다. 여성은 여성호르몬의 영향을 받아서 유방이 발달하고, 여성스러운 몸매를 갖게 되며, 월경과 배란을 합니다.

그런데 임신과 출산의 경험이 없거나, 아기에게 젖을 먹이지 않았거나, 초경을 너무 일찍 했거나, 또래의 여성들은 대부분 폐경을 했는데 유독 늦게까지 월경을 하는 사람은 여성호르몬이 유방을 자극하는 기간이 길기 때문에 유방암에 걸릴 확률이 높습니다.

어떤 이유 때문에 유방이 방사선X-Ray에 많이 노출되면 유방세포가 돌연변이를 일으켜 유방암으로 발전할 가능성이 높아집니다. 또한 가족 중에 유방암을 앓은 사람이 있는 경우가 없는 경우보다 유방암에 걸릴 확률이 10% 정도 더 높은 것으로 알려져 있습니다.

유방암의 병기

아직까지 유방암을 예방할 수 있는 확실한 방법은 알려져 있지 않습니다. 다만 유방암의 위험요인들을 피하려고 노력하고, 조기에 발견할수록 치료 결과가 더 좋기 때문에 정기검진을 통한 조기발견 및 치료가 매우 중요합니다.

대한유방암학회와 국립암센터에서는 30세 이후에는 매월 유방을 자가검진하고, 35세 이후에는 2년 간격으로 병원에 가서 유방검진을 받고, 40세 이후에는 1~2년 간격으로 유방 촬영을 할 것을 권고하고 있습니다.

건강을 위해 밑줄 쫙~

유방암환자의 생활가이드

유방암은 다른 암에 비해 치료하기 쉽고 치료 결과도 좋은 편입니다. 그러나 여성으로서의 자신감 상실, 자신의 딸에게 유전적으로 부담을 주게 된다는 죄책감을 느낄 수도 있습니다.

그래서 무엇보다도 가족들의 이해와 도움이 필요하고, 같은 처지의 환우 모임에 참여하거나 적당한 운동을 하는 것이 정신적 스트레스를 이겨내는 데에 도움이 됩니다.

다음은 유방암의 병기 구분과 5년 생존율에 대한 설명입니다.

0기	응어리의 크기가 1cm 이하이며, 유방암이 발생한 소엽 또는 유관^{젖샘관} 안에 머물러 있는 상태. 치료하면 거의 100%가 5년 이상 생존합니다.
1기	응어리의 크기가 2cm 이하이며, 겨드랑이 밑의 림프절로 전이되지 않은 상태. 치료하면 약 96%가 5년 이상 생존합니다.
2기	응어리의 크기가 2cm 이하이며, 겨드랑이 밑의 림프절로 전이되었다고 의심되는 상태. 치료하면 65~70%가 5년 이상 생존합니다.
3기	다음의 경우에는 치료하면 약 45%가 5년 이상 생존합니다. ※ 응어리의 크기가 5cm 이하이며, 겨드랑이 밑의 림프절로 전이되어 림프절이 똘똘 뭉쳐져 있는 상태. ※ 응어리의 크기가 5cm 이상인 상태. ※ 쇄골하림프절까지 전이된 상태.
4기	뼈·폐·간·뇌 등으로 전이된 상태. 치료해도 5년 이상 생존할 가능성이 10%밖에 안 됩니다.

유방암의 치료

유방암은 4기가 아닌 이상은 무조건 수술을 해서 암 덩어리를 떼어내야 합니다. 수술한 다음에는 대부분 항암치료^{화학치료}, 방사선치료, 항호르몬 치료 등 보조치료를 하게 됩니다.

0기인 경우 유방에 있는 암 덩어리만 떼어내지만, 나머지의 경우는 대부분 겨드랑이 림프절 수술도 함께합니다. 유방암은 겨드랑이 림프절을 통해서 인체의 다른 부위로 전이되는 경우가 많기 때문입니다.

수술할 때에는 암 덩어리뿐 아니라 주위 유방조직도 제거하기 때문에 수술 부위가 생각보다 넓습니다. 미용상의 이유로 유방을 가급적 많이 보존하기를 원하는 환자가 대부분이지만, 의사의 판단에 맡기는 것이 최선입니다. 경우에 따라서는 유방 전체를 들어내는 경우도 있고, 나중에 성형수술을 할 수도 있습니다.

항암치료는 일정 기간 동안 정기적으로 병원에 1~2일 입원해서 항암제 주사를 맞는 치료입니다. 항암치료의 목적은 수술로 완전히 제거하지 못하고 남아 있는 미세한 암 덩어리를 없애서 생존율을 높이고 재발률을 낮추는 데 있습니다. 항암제의 독성 때문에 식욕이 떨어지고 머리가 빠지는 등 부작용이 따르지만, 유방암 치료를 위한 항암치료는 위암·간암·대장암 보다 치료 효과가 훨씬 좋은 것으로 알려져 있습니다. 경우에 따라서는 항암치료를 먼저 한 다음에 수술을 하기도 합니다.

일반적으로 세포가 방사선에 노출되면 돌연변이를 일으킬 가능성이 많지만, 많은 양의 방사선을 쪼이면 세포가 죽습니다. 그런데 고용량의 방사선을 수술 부위 근처에 쪼이면 남아 있던 암세포만 죽는 것이 아니라 정상적인 세포도 죽습니다. 그래서 방사선치료를 할 때에는 방사선치료 전문의가 어느 부위에 얼마만큼의 방사선을 쪼일지를 정합니다.

유방의 일부를 보존하는 수술을 한 다음에 방사선치료를 생략하면 유방암의 재발률이 크게 올라갑니다. 암이 뇌로 전이 되었을 때 뇌를 잘라낼 수는 없기 때문에 최후의 수단으로 방사선치료를 시행하는 경우도 있습니다.

유방암의 암세포에는 여성호르몬을 받아들이는 호르몬 수용체가 만들어지는 경우가 많습니다. 유방의 선조직실질조직이 여성호르몬을 받아들여서 유방이 부풀어 오르듯이 암세포가 더 성장하면 곤란하므로, 여성호르몬이 유방암이 있던 부위로 접근하지 못하도록 차단하는 치료를 '항호르몬치료'라고 합니다.

유방의 구조와 기능

유방은 가슴근육^{대흉근} 위에 붙어 있고, 유선조직^{실질조직}과 지방조직^{사이} ^{질조직}으로 구성되어 있습니다. 유방의 크기는 유선조직의 양보다는 지방 조직의 양에 의해서 결정되기 때문에 유방의 크기와 출산 후 젖을 분비하 는 양과는 거의 관계가 없습니다.

유선조직은 여러 개의 소엽^{小葉}으로 나누어져 있습니다. 유선^{젖샘}에서 만 든 젖이 흘러나오는 관을 유관^{젖샘관}이라 하는데, 모든 유관은 유두 쪽으로 모여듭니다. 유두 주위에 있는 유륜^{젖꽃판}은 점액을 분비하여 유두를 보호 합니다.

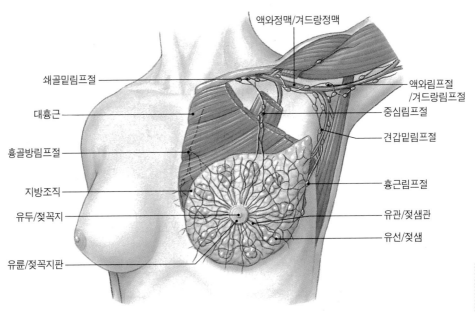

액와정맥/겨드랑정맥

쇄골밑림프절

대흉근

흉골방림프절

지방조직

유두/젖꼭지

유륜/젖꼭지판

액와림프절
/겨드랑림프절

중심림프절

견갑밑림프절

흉근림프절

유관/젖샘관

유선/젖샘

❖ 유방의 구조

생리주기에 따라 유방의 크기가 커지고 단단해지고, 임신했을 때 유방이 평소보다 2~3배까지 커지는 이유는 유선조직의 크기가 변하기 때문입니다. 이때 지방조직의 크기는 거의 변하지 않습니다.

유선조직의 양이 많고 지방조직의 양이 적으며 결합조직이 매우 오밀조밀하게 붙어 있어서 단단하게 만져지는 유방을 '치밀 유방'이라 합니다. 치밀 유방은 X-Ray 촬영을 해도 유선조직 대부분이 하얗게 보이기 때문에 다른 병변이 있어도 잘 발견되지 않습니다. 그래서 치밀 유방인 여성에게는 추가로 초음파검사를 권장합니다.

젊은 여성의 유방은 유선조직과 결합조직이 풍부하기 때문에 치밀하고 단단하지만, 나이가 들면 유선조직은 조금씩 줄어들고 지방조직이 많아집니다. 유방은 생식기관의 하나로, 가장 중요한 역할은 출산 후에 젖을 분비하는 것이며, 많은 감각신경이 분포되어 있어서 성감대 역할도 합니다. 유방 주위에는 림프관과 림프절이 많이 있는데, 유방에 암이 생기면 그 림프관특히 겨드랑림프절을 통해 몸의 다른 부위로 전이가 잘 됩니다.

건강을 위해 밑줄 쫙~

유방암에 좋은 식품
(영양사 임채진의 글)

유방암에 특히 좋은 음식은 셀렌과 비타민 D가 풍부한 음식입니다.

셀렌은 항암효과가 있어 유방암의 재발을 막아 완치률을 높이고, 비타민 D는 자가면역기능 향상에 기여할 뿐만 아니라 여러 가지 부인병 관련 암 예방에 도움을 줍니다. 셀렌과 비타민 D는 건강기능식품으로 간편하게 섭취하실 수 있습니다.

10-2 자궁경부암 및 부인과질환의 검진

자궁/질 도말세포 병리검사

자궁과 질의 내벽속벽을 덮고 있는 내막속막에서 떨어져 나온 세포에 이상이 없는지 현미경으로 확인하는 검사입니다.

음성	감염이 식별되지 않거나, 검사한 세포가 모두 정상세포일 때
평가 부적절	채집한 세포의 상태가 좋지 않거나 방해물질이 많아서 평가하기 어려울 때
양성	암이 아닌 세포의 감염 흔적이 있으나 정상세포의 복구가 관찰 될 때
비정형 세포	편평세포 또는 선세포에 변형이 있으나 의미가 확실하지 않을 때. 인유두종 바이러스 유전자검사를 해야 합니다.
저등급 변화	암으로 분화할 수 있는 저등급의 비정형 세포가 관찰될 때. 인유두종 바이러스 유전자검사를 해야 합니다.
고등급 변화	암으로 분화할 수 있는 고등급의 비정형 세포가 관찰될 때. 인유두종 바이러스 유전자검사를 해야 합니다.
○○ 암종	편평세포 또는 선세포의 암이 발견될 때

자궁경부^{자궁목}에 발생한 악성 종양이 자궁경부암인데, 우리나라 여성 암환자 중 약 10%가 자궁경부암환자입니다.

자궁경부암은 성 접촉에 의한 '인유두종바이러스^{사람의 젖꼭지처럼 생긴 종양을} ^{일으키는 바이러스}'의 감염이 주된 원인입니다. 비위생적인 환경에서 성교를 하거나 무질서한 성생활이 감염의 주요 요인입니다.

자궁경부암에 걸리면 처음에는 성교 후 질에서 약간의 출혈이 있는 정도이지만, 심해지면 질에서 악취가 나는 분비물이 나오고 궤양이 생기며, 주위에 있는 방광 · 요관 · 골반 등으로 전이됩니다.

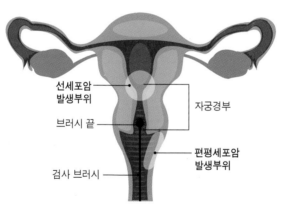

❖ 자궁/질 도말세포검사

진단 및 치료

자궁경부의 속벽을 붓이나 면봉으로 살짝 문질러서 떨어져 나온 세포를 관찰하는 검사를 '자궁/질 도말세포 병리검사' 또는 'Pat Test'라 합니다. 성관계를 시작한 여성은 2년에 1회씩 정기적으로 검사를 받아야 합니다. 이 검사를 통하여 자궁에 있는 여러 가지 세균이나 박테리아 또는 바이러스 감염도 발견할 수 있습니다.

도말검사 48시간 전부터는 성교는 물론이고 크림이나 세정제로 질을 세척하면 안 됩니다. 워낙 적은 숫자의 세포를 수집해서 검사하기 때문에 이상이 있어도 발견하지 못할 수도 있습니다. 그래서 반복 검사가 중요합니다.

자궁/질 도말세포 병리검사에서 이상이 발견되면 질 속으로 특수한 확대경을 삽입하여 관찰하고, 그래도 이상하면 조직을 떼어 검사합니다.

자궁경부암의 병기는 1~4기로 분류합니다. 1기에서 2기 초에는 수술·화학요법·방사선요법이 모두 가능하지만, 2기 말보다 더 진행되면 수술이 불가능하므로 조기진단이 중요합니다. 수술을 하면 완치가 가능하지만, 항암제투여나 방사선치료만으로는 완치를 기대하기 어렵습니다.

자궁경부암을 예방하기 위해서는 첫 성교 연령을 늦추고, 성교 대상자 수를 제한하며, 콘돔을 사용하고, 정기적으로 검진을 받아야 합니다.

여성 생식기의 구조와 기능

여성 생식계통의 필수기관은 한 쌍의 난소입니다. 난소에서 여성의 생식세포인 난자와 두 가지 호르몬^{에스트로겐과 프로게스테론}이 생산됩니다. 난소에서 시작하여 몸 밖까지 이어진 일련의 관과 유방을 합쳐서 여성 생식계통의 부속기관이라고 합니다.

자궁

자궁의 크기는 배^{먹는 배}와 비슷하고, 거의 자궁근육층으로 되어 있습니다. 자궁관 양쪽으로 붙어 있는 두툼한 부위를 '자궁저^{자궁바닥}', 자궁과 질의 경계가 되는 목과 같이 잘록한 부위를 '자궁경부' 또는 '자궁목', 중간 부위를 '자궁체부' 또는 '자궁몸통'이라고 합니다.

자궁 속벽을 덮고 있는 점막이 '자궁속막' 또는 '자궁점막'인데, 이는 자궁근육층과 접하는 '기저층'과 그 위에 있는 '기능층'으로 구별합니다. 기능층은 입방상피세포, 편평상피세포, 선^샘상피세포 등으로 구성되어 있으며, 월경기에 모두 소실되었다가 다시 생기는 일이 반복됩니다. 그러나 수정란이 착상되면 기능층이 없어지지 않고 자라서 임신 3개월 정도가 되면 두께가 15mm 정도로 두꺼워집니다.

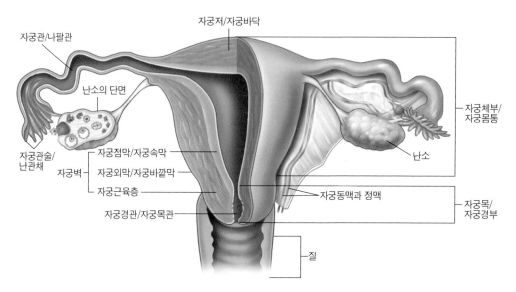

자궁관/나팔관

난소의 단면

자궁저/자궁바닥

자궁체부/
자궁몸통

자궁관술/
난관채

난소

자궁점막/자궁속막

자궁벽   자궁외막/자궁바깥막

자궁근육층

자궁동맥과 정맥

자궁목/
자궁경부

자궁경관/자궁목관

질

❖ 자궁의 구조

난소

난소는 크기와 모양이 아몬드와 비슷하고, 인대에 의해서 골반강^{골반속공} ^간에 붙어 있습니다. 난소는 잔주름이 잡혀 있어서 오돌토돌하고, 갓 태어난 여자 아기의 난소에는 약 100만 개의 난포가 점점이 박혀 있습니다. 난포에는 미숙한 난모세포가 들어 있고, 사춘기에 접어들 때쯤에 약 40만 개의 일차난포로 발달합니다.

일차난포 중에서 한 달에 한 개씩 성숙난포로 발달합니다^{다음 페이지의 그림 참} ^조. 일차난포 중에서 어느 것이 성숙난포로 발달할지는 알 수 없습니다^{성숙한 난} ^{포를 처음으로 발견한 네덜란드의 해부학자 이름을 따서 성숙난포를 '그라프난포'라고도 합니다}.

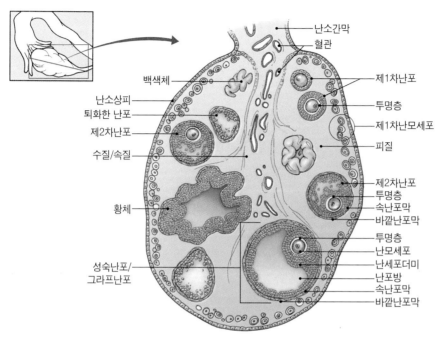

난소간막
혈관
백색체
난소상피
퇴화한 난포
제2차난포
수질/속질
황체
성숙난포/
그라프난포

제1차난포
투명층
제1차난모세포
피질
제2차난포
투명층
속난포막
바깥난포막
투명층
난모세포
난세포더미
난포방
속난포막
바깥난포막

❖ 난소의 구조

　그라프난포 안에 있던 난모세포가 포장을 찢고 밖으로 나오는 것을 '배란'이라 하고, 밖으로 나온 난모세포를 그때부터 '난자'라고 부릅니다.

　찢겨진 그라프난포는 '황채'라고 부르고, 황채에서 프로게스테론이라고 하는 호르몬이 11일 동안 분비되면 자궁속벽이 급격하게 증식됩니다. 11일 동안 난자와 정자가 만나서 자궁속벽에 착상되지 못하면 프로게스테론 분비가 중단되고, 약 3일이 지나면 크게 증식되었던 자궁속벽의 막이 터지면서 출혈이 시작되는 것이 월경입니다.

자궁관

난소 바로 옆에는 끝이 나팔처럼 넓게 퍼진 관이 있는데, 그 관을 '나팔관', '난관' 또는 '자궁관'이라고 합니다. 자궁관은 난소와 직접 연결되어 있지는 않지만, 난소에서 배란된 난자가 자궁관 안으로 들어가기 쉬운 구조로 되어 있습니다.

일반적으로 정자가 질과 자궁을 지나 자궁관의 2/3 정도 지점에 도달할 때쯤 난자를 만납니다. 자궁관 안에서 난자와 정자가 만나면 급격하게 세포분열을 하면서 자궁 쪽으로 이동해서 자궁벽에 착상하는 것이 '임신'입니다.

참고로 난자가 자궁관 안으로 들어오기 전에 골반강 안에서 정자와 만나 자궁 이외의 곳에 착상하면 '자궁외임신', 자궁관 안에서 만난 난자와 정자가 자궁 쪽으로 이동하지 않고 그자리에서 착상해버리면 '자궁관임신'이라고 합니다.

배란된 난자는 약 48시간 살 수 있고, 48시간 내에 정자를 만나지 못하면 죽습니다.

10-3
전립선비대증검진

전립선비대증은 '전립선 비대로 인한 하부요로 이상증상'입니다.

전립선비대증은 다음 증상 중 두 가지 이상을 동반합니다.

🚽 하루 8회 이상 소변을 보는 '빈뇨'

🚽 자다가 일어나서 3번 이상 소변을 보는 '야간빈뇨'

🚽 갑작스럽게 소변이 마려우면서 참기 어려운 '절박뇨'

🚽 뜸을 들여야 소변이 나오는 '지연뇨'

🚽 소변을 찔끔찔끔 누는 '단절뇨'

🚽 아랫배에 힘을 주어야 소변이 나오는 '복압배뇨'

🚽 소변줄기가 가는 '세뇨'

🚽 소변을 봐도 개운치 않고 또 보고 싶은 '잔뇨감'

🚽 소변을 다 보고 난 후 방울방울 떨어지는 '요점적'

🚽 소변을 참지 못해 옷에 누는 '절박성 요실금'

전립선이 커지는 원인은 아직 명확하게 밝혀지지 않았고, 여러 요인의 복합적인 작용으로 알려져 있습니다.

현재까지 알려진 전립선 비대의 원인은 다음과 같습니다.

☞ 고환이 노화되어 정상적인 기능을 다하지 못합니다.

☞ 나이를 먹으면 남성호르몬의 생산 양은 줄어들지만, 남성호르몬 전환
효소의 활성도가 증가하기 때문에 전립선비대증이 발생합니다.

☞ 전립선비대증으로 수술 받은 환자의 자손은 같은 질환으로 수술 받
을 확률이 높습니다.

전립선비대증 진단을 위한 가이드라인은 나라마다 조금씩 다른데, 우리
나라에서는 다음 방법 중 몇 가지를 선택해서 검사합니다.

☞ 문진 : 의사가 환자에게 필요한 사항을 직접 물어봅니다.

☞ 직장수지검사 : 항문에 손가락을 넣어 전립선을 촉진합니다.

☞ 요검사 : 소변에 피가 섞여 나오는지, 요로에 병균이 감염되었는지 소
변을 통해 검사합니다.

☞ 혈청검사 : 혈청 속에 전립선 특이항원이 있는지 검사합니다. 수치가 정상
치3~4ng/mL 이하 이상 증가한 경우에는 전립선 조직검사를 합니다.

☞ 요류 및 잔뇨량 측정 : 소변의 유속과 소변을 본 후 방광에 남아 있는 소
변량을 측정합니다.

전립선비대증의 치료방법

전립선비대증을 치료하는 방법은 다음과 같습니다.

대기요법
일정 기간 동안 경과를 관찰합니다. 이 경우 좌욕, 배뇨습관의 개선, 수분 섭취량의 조절, 식이요법 등으로 증상이 개선될 수 있습니다.

약물치료
전립선비대증 치료제는 크게 알파차단제와 안드로겐억제제가 있습니다.

수술
요도에 내시경을 넣어 전립선 일부를 잘라내는 요도경 절제술, 레이저로 전립선 조직을 태워 없애는 방법, 개복수술로 전립선을 적출하는 방법 등이 있습니다.

기타
전립선에 열을 가해서 조직을 괴사시키는 온열요법, 침으로 전립선 조직을 괴사시키는 침소작술, 극초단파를 이용해서 치료하는 방법 등이 있습니다.

전립선비대증 외에 전립선에 발생하는 대표적인 질환에는 전립선에 염증이 발생한 '전립선염'과 전립선에 암이 발생한 '전립선암'이 있습니다. 전립선암은 전립선비대증과 증상이 유사할 수도 있지만, 대부분 증상이 없습니다.

전립선과 생활

조기치료 전립선비대증을 초기에 치료하지 않고 방치하면 방광의 기능이 나빠지고, 나아가서는 신장질환이 생길 수도 있으므로 조기에 치료하는 것이 좋습니다.

식이요법 전립선비대증환자는 탄수화물·섬유질·야채·과일·생선 등의 섭취를 늘리고, 자극성이 강한 음식은 피하고, 육류 섭취량을 줄이는 것이 좋습니다. 전립선에 좋은 음식으로는 토마토, 콩으로 만든 음식된장, 두부, 청국장 등, 호박, 녹차, 마늘, 산수유, 꽃송이버섯 등입니다.

생활습관 전립선비대증환자는 평소에 체중을 조절하고 내장지방의 양을 줄이려고 노력해야 합니다. 좌욕을 자주하고 저녁 식사 후에는 가급적 수분 섭취를 줄여야 합니다. 피로, 과음, 너무 오래 앉아 있는 습관, 소변을 오래 참는 습관은 전립선비대증을 악화시키므로 피해야 합니다.

남성 생식기의 구조 및 기능

　남성 생식계통의 필수기관은 한 쌍의 고환이고, 고환에서 남성의 생식세포인 정자와 남성 호르몬^{테스토스테론}이 생산됩니다. 고환에서 시작하여 몸 밖까지 이어진 일련의 관과 보조생식샘 그리고 바깥 생식기를 합쳐서 남성 생식계통의 부속기관이라고 합니다.

고환과 부고환

　고환은 주머니처럼 생긴 음낭에 들어 있고, 음경 밑에 달려 있습니다. 음낭은 노출되어 있기 때문에 심부체온보다 약 1℃ 낮은 환경에 있는데, 이러한 환경은 정자의 생산과 생존에 꼭 필요합니다.

　고환 안쪽에는 아주 가늘고 꼬불꼬불한 관^{정세관}으로 만들어진 여러 개의 소엽이 있습니다. 정자세포는 정세관의 벽에서 만들어지고, 남성호르몬인 테스토스테론은 정세관의 사이질세포에서 만들어집니다. 이때의 정자세포는 스스로 움직일 수 있는 능력이 없고, 머리에 아빠로부터 받은 유전물질을 가지고 있습니다.

　이후 정자세포는 부고환 안에서 성장해서 난자의 외막을 뚫고 들어갈 수 있는 효소를 가진 첨체^{尖體}로 무장하고, 운동성을 갖추기 위해 꼬리를 만들고, 머리와 꼬리 사이에는 중절^{Midpiece, 中節}이 생깁니다. 중절에 있는 미토

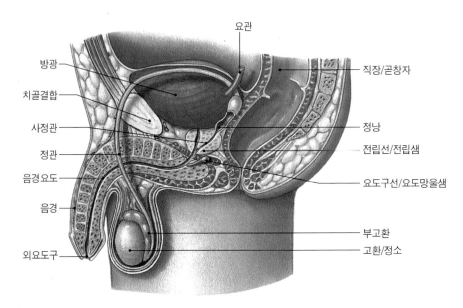

요관
방광
치골결합
사정관
정관
음경요도
음경
외요도구

직장/곧창자
정낭
전립선/전립샘
요도구선/요도망울샘
부고환
고환/정소

❖ 고환의 구조

콘드리아에서 ATP^{아데노신3인산}를 합성해서 꼬리를 움직이는 데 필요한 에너지를 공급할 수 있게 되면 비로소 '정자' 또는 '정충'이라고 부릅니다.

생식관과 보조생식샘

정자세포가 자라서 정자가 되면 부고환을 떠나 복강^{배속공간}으로 들어가는데, 그 통로가 되는 관이 '정관' 또는 '정삭'입니다. 정관이 방광 높이까지 올라갔다가 아래로 내려오면서 굵고 꾸불꾸불한 모양으로 바뀐 곳이 '정낭'입니다.

정낭은 사정되기 전까지 정자를 임시로 모아두는 저류소와 정액을 생산하는 보조생식샘의 역할을 합니다.

정낭 아래쪽에 있는 사정관은 정낭에 모아두었던 정자와 정액 그리고 전립선에서 만든 정액을 합쳐서 분출시키는 역할을 합니다. 사정관의 근육이 수축하면 방광에서 요도로 나가는 입구의 근육도 수축하기 때문에 소변과 정액이 동시에 방출되지 않습니다. 정액은 사정관을 거친 다음 전립선의 중앙에서 요도와 만나 몸 밖으로 나갑니다. 정관과 요도를 합쳐서 '생식관'이라고 합니다.

난자는 복강에 배란되기 때문에 영양분과 산소를 공급받지 못해서 수명이 약 48시간밖에 되지 않습니다. 그러나 정자는 사정되기 전까지는 정액으로부터 영양분을 공급받고, 사정된 후에는 자궁경부와 난관의 점액으로부터 영양분을 공급받기 때문에 약 3~10일 동안 생존할 수 있습니다.

정액은 보조생식샘인 정낭과 전립선 및 요도망울샘Cowper's gland에서 95%, 고환에서 5%가 생산됩니다. 고환에서 생산된 정액은 정자세포의 생명유지를 위해 꼭 필요하고, 정낭에서 생산된 정액은 정자의 에너지원으로 쓰이며, 전립선에서 생산된 정액은 정자를 활성화시키고, 요도망울샘에서 생산된 정액은 요도에 남아 있을지도 모르는 소변으로부터 정자를 보호하는 역할을 합니다.

PART
11

정신건강

11-1
치매 인지능력장애

태어날 때부터 지적 능력에 제약이 있으면 '지적장애'라 하고, 정상적으로 생활해오던 사람이 어떤 원인 때문에 기억력 · 언어능력 · 시간과 공간 파악 능력 · 판단력 · 사고력 등 인지능력이 지속적으로 저하되어 일상생활에 상당한 지장을 초래하게 된 상태를 '치매' 또는 '인지능력장애'라고 합니다.

치매는 나이 들면 별수 없이 생기는 질병이고 치료법이 없다고 생각하는 사람들이 많습니다. 그러나 치매는 원인이 70여 가지에 이르는 하나의 증후군입니다.

치매의 원인은 '알츠하이머병'과 '혈관성 치매'가 가장 많고, 루이소체 치매, 전측두엽대뇌의 앞쪽 옆 부분 퇴행, 파킨슨병도 원인입니다. 그밖에 두부 외상, 뇌종양, 대사질환, 중독성 질환에 의해서도 치매가 발생합니다.

치매환자는 보고, 듣고, 배우는 등 모든 경험 정보를 대부분 망각합니다. 그리고 단기기억으로 남아 있는 정보 중에서 장기기억으로 전환되는 정보는 극히 소량인데, 단기기억 또는 장기기억으로 저장되었던 정보들도 시간이 가면 또 망각된다고 합니다.

그런데 사람이 나이가 들면 원래 있던 기억들도 점점 인출이 잘 되지 않아 "거 있잖아! 뭐더라! 갑자기 기억이 안 나는데!"하는 소리를 자주하게 됩니다.

그리고 새로운 기억을 만드는 일이 인출하는 일보다 더 어려워집니다.

나이가 들면서 기억력이 감퇴되는 현상은 어쩔 수 없다고 하더라도 '생활행동을 수행할 수 있는 능력'과 '인지능력'까지 점진적으로 떨어지면 '치매고위험군'으로 분류합니다. 보건복지부 통계에 의하면 우리나라 65세 이상 노인의 약 8~10%가 치매고위험군입니다.

동일 연령대에 비해 기억력을 비롯한 인지기능은 점진적으로 저하되었지만, 생활행동 수행능력은 보존되어 있는 상태를 '경도인지장애'라고 합니다. 경도인지장애는 정상 노화와 치매의 중간 단계이고, 알츠하이머병으로 이행될 가능성이 많습니다. 이 경우 어떤 자극에 대한 감정 변화가 없거나 기분 변화가 더딘 무관심 상태와 가벼운 기억장애가 수반됩니다.

치매의 증상

다음과 같은 치매의 증상이 발견되면 병원에 가서 정확한 검진을 받고 적절한 치료를 받아야 합니다. 환자 본인은 물론 가족들도 이 증상을 자연스러운 노화 현상으로 치부하거나, 가벼운 건망증으로 여기고 간과하면 안 됩니다.

🐾 치매 초기 증상은 생활행동 수행능력의 장애 발생입니다. 기억력이 저하되면서 가스불 끄는 것을 잊어버리거나, 잘 찾아오던 집을 잊어버리는 등 평소 잘 해오던 일상생활에 조금씩 문제가 생기기 시작합니다.

🐾 치매는 우리가 흔히 보는 '건망증'과는 다릅니다. 건망증일 때는 어떤

사실을 잊었더라도 누가 귀띔해주면 금방 기억해내지만, 치매환자는 힌트를 줘도 전혀 기억하지 못합니다.

☺ 건망증은 본인 스스로 기억저하를 인정하고 메모를 하는 등 기억저하를 보완하기 위해 노력하지만, 치매환자는 기억장애가 있다는 사실을 인정하지 않는 경우가 많습니다.

☺ 기억장애가 있으면 물건을 잘 찾지 못하거나, 주요 전화번호나 약속을 기억하지 못하거나, 같은 이야기를 반복합니다.

☺ 물건 이름이 금방 생각나지 않아서 '그거', '저거' 등의 표현을 많이 사용하고, 동문서답이 많아지며, 평소 읽기와 쓰기를 잘하던 사람이 읽기·쓰기가 잘 안 되는 등 언어장애를 보입니다.

☺ 시·공간 인지능력이 떨어지기 때문에 "길눈이 어두워졌다."는 이야기도 많이 합니다. 주차해 놓은 장소를 찾지 못해 헤매는가 하면, 새 집으로 이사했는데 자꾸 옛날 집을 찾아가 초인종을 누르거나, 심하면 자주 가던 길을 잃어버리기도 합니다.

☺ 계산능력이 떨어지기 때문에 간단한 계산을 하는 데도 많은 시간이 걸리고, 나중에는 물건을 사고도 거스름돈을 받지 못하게 됩니다.

☺ 성격에도 변화가 나타나서 무서웠던 성격이 온순해진다거나, 자상했던 사람이 조그마한 일에도 화를 잘 내고 이기적으로 변하기도 합니다.

☺ 감정 변화가 잘 나타나서 불안하고 초조해서 안절부절 못하고, 우울해 하기도 하며, 의심이 많아집니다.

☞ 기억력은 정상이지만 단순히 말하는 능력을 잃어버리는 경우도 간혹 있고, 반대로 말은 유창하게 잘하지만 말의 의미를 잊어버려서 다른 사람이 말하는 내용을 전혀 이해하지 못하는 경우도 있습니다.

☞ 일부 치매증상에서는 인지기능 저하가 손발떨림이나 움직이는 능력 감소와 함께 나타나기도 합니다.

치매 조기진단의 중요성

치매는 원인이 70여 가지로 매우 다양하고, 원인의 3분의 1은 적절한 치료를 통해 증상의 호전이나 완치를 기대할 수 있기 때문에 조기진단이 아주 중요합니다. 완치를 기대할 수 없는 경우라도 기억력을 포함한 인지기능과 생활행동 수행능력은 개선시킬 수 있기 때문에 치매를 불치병으로 간주하는 것은 낡은 편견입니다.

치료될 수 있는 치매에는 뇌수두증·대사질환^{갑상선기능저하증}·비타민 B₁₂ 및 엽산결핍증·당뇨병·만성 간질환 및 신장질환으로 인한 치매, 뇌경막밑 혈종으로 인한 치매, 뇌종양으로 인한 치매, 알코올중독으로 인한 치매, 매독으로 인한 치매 등이 있습니다. 완치 가능한 치매는 초기에 치료해야 후유증이 남지 않고 치료효과도 좋습니다.

적절한 치료를 통해 증상을 호전시키고 진행을 느리게 할 수 있는 치매는 알츠하이머병과 혈관성 치매입니다. 전체 치매환자의 50~60%가 알츠하이머병인데, 이 병은 대개 눈에 띄지 않을 정도로 서서히 진행되기 때문에 조기발견이 힘듭니다. 그런데 일단 증상이 나타나기 시작하면 급속도로 악화되는 경향이 있고, 다양한 신경증상과 행동증상을 동반합니다.

치매를 조기에 진단해서 치료를 시작해도 암조직을 떼어내는 수술처럼 예전의 기능으로 금방 돌아갈 수 있는 것은 아닙니다. 원인도 명확하지 않고 아직 확실한 치료법도 없기 때문입니다. 다만 진행을 늦추기 위해 노력할 수 있을 뿐입니다.

다음의 그래프는 경도 인지능력장애 단계에서 조기진단을 받아 빨리 치료하면 중증치매로의 진행속도를 늦출 수 있다는 것을 시각적으로 보여주기 위해 그린 가상의 그림입니다.

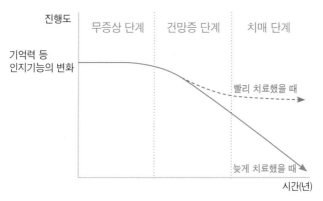

❖ 치매의 진행(조기치료 시와 늦게 치료 시)

치매의 치료

치매는 알츠하이머병, 루이소체치매, 전측두엽치매, 파킨슨치매 등 종류가 매우 다양하기 때문에 올바른 치료계획을 수립하기 위해서는 정확한 진단이 선행되어야 합니다. 이를 위해서는 신경학적인 검사와 함께 뇌 영상 검사, 신경심리검사, 혈액검사 등을 실시하여 종합적으로 판단해야 합니다.

현재 의학 수준으로 알츠하이머병을 완치할 수는 없지만, 진행을 느리게 할 수는 있습니다. 또한 환자에게 흔히 나타나는 불면증, 초조와 공격성, 망상 등 정신행동 증상도 약물을 투여하여 조절할 수 있습니다.

혈관성 치매는 혈관질환의 위험인자인 고혈압 · 심장병 · 이상지질혈증_{고지혈증} · 당뇨병 · 흡연 등을 치료하고 건강한 생활습관을 유지하면 예방할 수 있습니다. 일단 발생하더라도 적절한 치료를 하면 뇌졸중으로의 진전을 예방할 수 있으며, 인지기능이 악화되는 증상도 막을 수 있습니다.

치매 치료의 목표는 환자와 가족의 삶의 질을 유지시키며, 인지기능의 회복에 도움을 주는 데 있습니다. 정신행동이상의 치료에 중점을 두는 다음과 같은 비약물적 치료를 병행하는 것이 좋습니다.

- 치매환자는 복잡한 환경에 적응하기 어려우므로 되도록 안전하고 단순한 환경에서 생활할 수 있도록 환경을 조성합니다.
- 치매환자의 생활행동 수행능력을 고려하여 일과표를 만들고, 일과표에 따라 단순하고 반복적인 생활을 하도록 합니다.
- 정기적으로 청각과 시각검사를 실시하여 감각기능의 문제로 인한 문제 행동과 정신증적 증상을 예방합니다.
- 문제 행동이 나타나면 우선 원인에 대해 생각해 보고 언제, 어디서, 어떻게 행동하는지 자세히 관찰한 후 적절한 대처방법을 적용합니다.

치매에 대한 인식과 태도의 변환

인구의 고령화가 급속하게 진행되면서 노인문제, 특히 치매노인을 돌보는 문제가 가족의 고충을 넘어 큰 사회문제로 대두되었습니다.

이미 우리나라는 65세 이상 노인인구가 전체 인구의 14% 이상인 고령사회에 진입했고, 2025년에는 전체인구의 약 21%가 노인인 초고령사회로의 진입이 예고되고 있습니다.

그런데 "노인인구의 약 5%가 치매환자이고, 24.1%가 경도 인지기능장애 증상을 갖고 있는 것으로 추정된다."고 하는 통계청과 보건복지부의 발표가 그대로 유지된다면, 2025년에는 우리나라에 1,000만 명의 노인이 있고, 그중 약 50만 명은 치매환자, 약 240만 명은 언제 발병할지 모르는 경도 인지기능장애자라는 것입니다.

이와 같이 증가하는 노인들의 삶의 질을 높이고, 이들을 부양해야 하는 가족 및 사회의 부담을 덜어주기 위해서는 치매와 같은 노인 정신질환을 제대로 이해하고 예방할 수 있는 장치를 마련해야 합니다.

치매에 대한 올바른 인식 및 개인 · 사회 · 국가적 대처방법은 다음과 같습니다.

치매는 예방할 수 있고 치료가 가능한 질병입니다

아직까지는 확실한 치매 치료방법이 없고, 발병원인을 정확히 모르기 때문에 '치매는 노년에 찾아오는 날벼락과 같은 병'으로 인식되고 있습니다.

그러나 대한치매학회와 보건복지부에서는 '치매는 적극적인 노력을 통해 예방할 수 있으며, 조기 발견 시 치료가 가능한 질병'이라고 홍보하고 있습니다. 지금과 같이 빠른 속도로 생명과학이 발달한다면 "병원에 가서 주사 1대 맞고 2~3일 동안 약을 복용하면 치매가 완전히 치료되는 날이 오지 않는다고 단언할 수 없습니다."

건강 유지가 치매예방의 지름길입니다

치매를 예방하려면 신체가 건강해야 합니다. 특히 뇌혈관질환을 일으킬 수 있는 고혈압, 당뇨, 비만, 이상지질혈증, 흡연 등의 위험인자 조절은 혈관성 치매뿐 아니라 알츠하이머병의 예방과 치료에도 중요합니다.

긍정적인 생각을 가지고 사회생활과 여가생활을 적극적으로 해야 합니다

미국 켄터키 대학의 스노든 박사가 수녀원 수녀들의 뇌를 기증받아 부검한 연구 결과에 따르면 "뇌세포의 파괴 정도와 겉으로 드러나는 치매증상은 반드시 일치하지 않으며, 마음 자세와 생활하는 환경이 치매 발현을 억제하기도 하고 촉진하기도 한다."고 합니다.

지속적인 일과 독서 · 취미활동 · 친목모임은 치매 예방에 좋습니다.

두뇌활동을 많이 해야 합니다

사람의 뇌는 사용하면 할수록 발달하고, 사용하지 않으면 금방 위축됩니다. 독서, 바둑, 카드놀이, 글쓰기, 산수, 암산, 악기 연주, 그림그리기 등

과 같은 두뇌활동을 꾸준히 한 사람은 그렇지 않은 사람보다 치매 발병률
이 낮다는 연구 결과도 있습니다.

적극적인 조기치료가 중요합니다

치매는 나이가 들수록 발병률이 높아지는 퇴행성 질환이기 때문에 노력
한다고 모두 예방할 수 있는 것은 아닙니다. 따라서 피할 수 없다면 차라리
긍정적이고 적극적으로 받아들이는 마음가짐이 필요합니다.

치매는 발병 즉시 병원에 가야 적절히 치료될 수 있는 기회를 놓치지 않
습니다. 그렇지 않으면 환자의 상태 악화로 이어져 환자 자신뿐 아니라 돌
보는 가족들에게도 더 심한 고통과 부담을 주게 됩니다.

건강을 위해 밑줄 쫙~

치매예방에 좋은 음식과 운동

치매예방에는 적당한 운동과 균형 잡힌 영양섭취가 필수입니다.

하루 30분씩 매일 걸어도 치매가 예방된다고 할 만큼 규칙적이고 적당한 운
동이 중요합니다. 수영, 자전거타기, 빠르게 걷기 등을 규칙적으로 하면 치매예
방에 도움이 됩니다. 뜨개질이나 수놓기, 그림이나 서예 등 손과 뇌를 함께 쓰
는 활동은 인지기능 향상에 좋습니다.

한편 고등어·꽁치·정어리·삼치와 같이 등푸른 생선, 카레, 각종 견과류,
우유, 신선한 야채와 잡곡밥이 치매예방에 좋은 음식으로 알려져 있습니다.

그밖에 절주와 금연, 체중 감량, 스트레스 해소, 충분한 수면 등이 치매예방
에 큰 도움이 됩니다.

한국판 인지기능선별문항

KDSQ-P : Korean Dementia Screening Questionnaire-Prescreen

2007년부터 생애전환기66세 건강검진 문진표에 서울대학교 신경과 김상윤 교수가 개발한『한국판 인지기능선별문항KDSQ-P』을 포함시켜 사용하고 있습니다. 이 문항에서 10점 만점 중 4점 이상이면 "인지기능에 이상이 있다."고 의심합니다.

　아래의 각 항목에 대하여 1년 전과 비교하여 현재에 해당하는 곳에 V표시를 해주십시오. 동행한 가족이 있으면 가족이 작성하시고, 없으면 본인이 작성하십시오.

01 자신의 기억력이 친구나 동료들에 비해 못하다고 생각하십니까?

　　☐ 아니다. ☐ 가끔조금 그렇다. ☐ 자주많이 그렇다.

02 자신의 기억력이 1년 전에 비해 나빠졌다고 생각하십니까?

　　☐ 아니다. ☐ 가끔조금 그렇다. ☐ 자주많이 그렇다.

03 중요한 일을 하는데 있어서도 기억력이 문제가 됩니까?

　　☐ 아니다. ☐ 가끔조금 그렇다. ☐ 자주많이 그렇다.

04 자신의 기억력이 떨어진 것을 남들도 알고 있습니까?

　　☐ 아니다. ☐ 가끔조금 그렇다. ☐ 자주많이 그렇다.

05 잘해오던 일상적인 일을 하는데 예전보다 서툴러졌다고 생각하십니까?

　　☐ 아니다. ☐ 가끔조금 그렇다. ☐ 자주많이 그렇다.

아니다. = 0점　　가끔조금 그렇다. = 1점　　자주많이 그렇다. = 2점

한국판 치매선별검사

KDSQ-C : Korean Dementia Screening Questionnaire-Cognition

앞 페이지에 있는 한국판 인지기능선별문항에서 4점 이상을 득점하여 "인지기능에 이상이 있다."고 의심되는 사람을 대상으로 치매환자 여부를 가려내는 문항입니다. 이 문항에서 6점 이상이면 치매환자로 진단합니다.

본 설문은 인지기능장애평가를 위한 문진표입니다. 아래의 각 항목에 대하여 1년 전과 비교하여 현재에 해당하는 곳에 V 표시를 해주십시오. 동행한 가족이 있으면 가족이 작성하시고, 없으면 본인이 작성하십시오.

01 오늘이 몇 월이고 무슨 요일인지 모른다.
   ☐ 아니다. ☐ 가끔조금 그렇다. ☐ 자주많이 그렇다.

02 자기가 놔둔 물건을 찾지 못한다.
   ☐ 아니다. ☐ 가끔조금 그렇다. ☐ 자주많이 그렇다.

03 같은 질문을 반복해서 한다.
   ☐ 아니다. ☐ 가끔조금 그렇다. ☐ 자주많이 그렇다.

04 약속을 하고서 잊어버린다.
   ☐ 아니다. ☐ 가끔조금 그렇다. ☐ 자주많이 그렇다.

05 물건을 가지러 갔다가 잊어버리고 그냥 온다.
   ☐ 아니다. ☐ 가끔조금 그렇다. ☐ 자주많이 그렇다.

06 물건이나 사람의 이름을 대기가 힘들어 머뭇거린다.
   ☐ 아니다. ☐ 가끔조금 그렇다. ☐ 자주많이 그렇다.

07 대화 중 내용이 이해되지 않아 반복해서 물어본다.
　　□ 아니다. □ 가끔조금 그렇다. □ 자주많이 그렇다.

08 길을 잃거나 헤맨 적이 있다.
　　□ 아니다. □ 가끔조금 그렇다. □ 자주많이 그렇다.

09 예전에 비해 계산능력이 떨어졌다. 예 : 물건 값이나 거스름돈 계산
을 못한다.
　　□ 아니다. □ 가끔조금 그렇다. □ 자주많이 그렇다.

10 예전에 비해 성격이 변했다.
　　□ 아니다. □ 가끔조금 그렇다. □ 자주많이 그렇다.

11 예전에 잘 다루던 기구의 사용이 서툴러졌다. 예 : 세탁기, 전기밥
솥, 경운기 등
　　□ 아니다. □ 가끔조금 그렇다. □ 자주많이 그렇다.

12 예전에 비해 방이나 집안 정리정돈을 하지 못한다.
　　□ 아니다. □ 가끔조금 그렇다. □ 자주많이 그렇다.

13 상황에 맞게 스스로 옷을 선택하여 입지 못한다.
　　□ 아니다. □ 가끔조금 그렇다. □ 자주많이 그렇다.

14 혼자 대중교통을 이용하여 목적지에 가지 못한다. 신체적인 원인
때문 제외
　　□ 아니다. □ 가끔조금 그렇다. □ 자주많이 그렇다.

15 내복이나 옷이 더러워져도 갈아입지 않으려고 한다.
　　□ 아니다. □ 가끔조금 그렇다. □ 자주많이 그렇다.

위의 검사문항은 기억능력1~5번 문항, 기타 능력6~10번 문항, 생활
행동 수행능력11~15번 문항으로 나눌 수 있고, 치매로 진단이 나왔을
경우 혈관질환 때문에 치매로 나타나는 '혈관성 치매'인지 또는 우울
증 때문에 치매인 것처럼 보이는 '가성치매'인지를 가려내는 검사지
도 있습니다.

아니다. = 0점　　가끔조금 그렇다. = 1점　　자주많이 그렇다. = 2점

11-2
주의력결핍 과잉행동장애ADHD

주의력결핍 과잉행동장애Attention Deficit Hyperactivity Disorder : ADHD는 주의력이 부족하여 산만하고 과다한 활동과 충동성을 보이는 질환으로, 주로 아동기에 많이 나타납니다. 병 이름에 '장애'라는 단어가 붙어 있지만 "어떤 기능을 잘 수행하지 못한다."는 뜻의 'Disability'가 아니라 '질환의 이름'을 뜻하는 'Disorder'이므로 '치료를 해야 하는 병'입니다.

서울시와 서울대학교병원에서 시행한 역학조사에 의하면 소아의 6~8%가 ADHD 증상을 보이는 것으로 나타났습니다. 이러한 유병률은 소아정신과 관련 질환 가운데 가장 높은 편에 속합니다.

ADHD의 증상

ADHD의 핵심 증상은 과잉행동, 충동성, 주의력결핍이며, 부수적인 증상으로는 감정조절의 어려움, 학습능력 및 수행능력의 저하 등이 있습니다. 주로 나타나는 증상이 무엇이냐에 따라 과잉행동 및 충동성형, 주의력결핍형, 혼합형으로 분류합니다.

과잉행동 및 충동성형

'과잉행동'이란 "행동이 과도하게 많다."는 뜻으로, 차분하게 앉아 있지 못하고 부산하게 계속해서 움직이는 것을 말합니다. 허락없이 자리에서 일어나고, 뛰어다니고, 팔과 다리를 끊임없이 움직이는 등 부산하게 활동하고 생각하기 전에 행동하는 경향이 있습니다. 넘어져서 다치는 일이 잦고, 위험하게 높은 곳에 기어오르며, "극성맞다." 또는 "가만히 있지 못한다."는 말을 많이 듣습니다.

과잉행동은 아주 어릴 때부터 나타나는 경우가 많아서 '아기들에게서 정상적으로 나타나는 활동적인 모습'과 구별하기 어렵습니다. 하지만 유치원이나 초등학교에 들어가서 '가만히 앉아 있어야 하고, 규칙을 지켜야 할' 나이가 되면 정확하게 구별할 수 있습니다. 과잉행동은 여아보다 남아에게서 더 많이 관찰되고, 학교에서 징계를 받거나 사고로 인한 부상도 많기 때문에 부모의 양육 스트레스가 많습니다. 저학년일 때에는 팔다리를 흔들고, 수업시간에 다른 아이에게 말을 걸거나 장난치며 돌아다닙니다.

그러다가 고학년이 되면 꼼지락거리고, 다른 아이에게 집적대거나 연필을 씹는 등 '자잘한 행동'으로 바뀌기 때문에 과잉행동이 겉으로 잘 드러나지 않습니다. 그래서 'ADHD는 나이를 먹으면 저절로 고쳐지는 병'이라는 오해가 생깁니다.

충동성이란 '욱'하는 성향을 말하며, 정서적으로 미숙해서 감정과 충동조절이 어려운 상태를 말합니다. 기다리는 것을 힘들어하거나, 질문이 끝나기도 전에 대답하거나, 지시가 끝나기도 전에 성급하게 반응하거나, 위험한 행동·불필요한 행동·나중에 후회할 행동을 자주합니다.

주의력결핍형

주의력결핍이란 "주의집중을 유지하는 능력이 일정 수준에 미치지 못한다."는 뜻으로, 산만하고 오래 집중하기 어려운 상태를 말합니다.

자신이 좋아하고 재미 있는 놀이나 게임을 할 때는 꽤 오래 동안 주의집중 상태를 유지할 수 있지만, 재미 없고 힘든 공부나 활동은 시작하기도 어렵고, 자꾸 다른 얘기를 꺼내고, 다른 행동을 하느라 중단하기 일쑤입니다.

선생님의 말을 듣고 있다가도 다른 소리가 나면 금방 그곳으로 시선이 옮겨가고, 시험을 보더라도 문제를 끝까지 읽지 않고 풀다가 틀리는 등 '한 곳에 오래 집중하기'를 어려워합니다. 해야 할 일을 까먹고, 자신의 물건을 잃어버리며, 멍하니 있거나 딴생각을 하느라 '다른 사람의 말을 놓치는 경우'가 많습니다.

대부분의 부모는 아이에게 잔소리를 할 수밖에 없는데, 그러면 아이와 부모의 사이가 나빠져서 아이가 반항적인 행동을 하게 됩니다. 주의력결핍 증상도 아주 어릴 때는 뚜렷이 드러나지 않다가 학교에 다니기 시작한 다음에야 나타나는 경우가 많습니다.

혼합형

감정조절의 어려움

감정조절이 잘 안 되어서 지나치게 흥분하거나 분노에 사로잡히고, 별 것 아닌 일에 쉽게 짜증을 내기도 합니다. 여러 가지 측면을 고려하지 못하고 바로 행동으로 감정을 표출하기도 합니다. 매사에 급하고 참을성과 인내심이 부족한 모습으로 나타납니다.

인지발달 및 학업수행의 어려움

정상아동보다 지능발달이 다소 뒤처져서 IQ가 평균 7~15점 낮다고 보고되고 있지만 '실제로 지능이 낮아서인지', '지능검사 수행 자체를 잘못해서인지'는 확실하지 않습니다. 또래보다 학업성적이 좋지 않은 이유도 '주의력결핍 증상 때문인지', '다른 학생보다 학습을 하지 않으려 해서인지' 알 수 없습니다.

작업 기억력의 저하

'작업 기억력'이란 "어떤 작업을 하기 위해 과거의 지식이나 경험을 기억해내는 능력"을 말합니다. 눈앞에 닥친 문제를 해결하거나, 미래를 대비해 계획을 세울 때에는 작업 기억력이 충분할수록 유리합니다.

그런데 ADHD 아동은 작업 기억력이 떨어져서 암산이나 독해를 어려워하고, 방금 전에 말로 들은 지시를 까먹는 일이 자주 일어납니다. 또 여러 가지 일을 차례대로 해야 할 때 순서를 헷갈려하거나, 한두 가지 일을 빼먹거나, 하나의 목표를 위해 다른 일을 끝내지 못하는 모습을 보입니다.

ADHD의 원인

ADHD 자녀를 둔 부모는 다른 학부모들로부터 '아이를 잘못 길렀다'는 비난을 받고, 본인의 자녀 양육 방식에 대한 자책감에 빠지기 쉽습니다. 그러나 양육 태도와 ADHD와의 연관성은 그리 높지 않습니다.

그런데 ADHD 여부를 떠나 일관적이지 못하고 가혹하게 아이를 대하거나, 아이의 몸과 마음에 상처를 주는 학대 또는 방임은 아동 발달에 심각한 영향을 미칠 수 있습니다. 심한 경우 아이는 마음의 후유증으로 인하여 여러 가지 어려움을 겪기도 합니다.

ADHD 원인은 양육 방식보다는 유전과 많이 연관되어 있습니다. ADHD는 가족력이 있고, 몇몇 유전자가 ADHD의 발병과 관련 있는 것으로 알려져 있습니다. ADHD의 발병은 유전적 요인 70%, 환경적 요인 30%로 알려져 있습니다.

뇌 영상 촬영에서 ADHD 아동은 정상아동에 비해 '전두전엽^{이마앞엽, pre-frontal lobe}' 부위의 활성이 떨어지고 구조적인 차이도 관찰됩니다. 전두전엽은 계획을 세우고, 여러 가지 일에 우선순위를 세워 처리하고, 시간을 관리하고, 충동과 감정을 조절하고, 반응을 억제하는 등 다양한 실행기능과 관련이 있는 대뇌영역입니다.

다음은 ADHD의 발병과 관련이 있다고 추정되는 환경적 요인입니다.

☺ 어머니의 산전 흡연·음주·약물복용은 태아 신경세포의 활성을 줄입니다. 그러므로 임신 중 흡연·음주·약물복용은 자신뿐만 아니라 아이에게도 불행을 심어주는 원인이 됩니다.

☺ 학령기 이전에 '납^{鉛, Pb}'에 노출되면 분열적이고 폭력적인 행동을 일으

킬 수 있습니다. 납은 페인트나 오래된 수도관에서 많이 검출됩니다.

☞ 인공색소나 식품보존제와 같은 음식첨가물이 과잉행동을 유발할 수 있습니다.

☞ 미숙아, 저체중아, 그리고 어릴 때의 머리부상과 ADHD는 관련성이 불분명합니다.

ADHD의 진단과 치료

어떤 아동이 'ADHD 환자인지', 보통아동과 구분되는 '별난 아동인지'를 확실하게 구분할 수 있는 방법은 없습니다. 즉 ADHD를 정확하게 진단할 수 있는 검사도구는 없다는 것입니다. 그 이유는 집중력이 부족하고 산만하더라도 우울, 불안, 틱증상, 학습장애 등과 함께 나타나는 경우에는 ADHD 라고 단정할 수 없기 때문입니다.

반대로 주의집중을 잘한다고 해서 ADHD와 전혀 관련이 없는 아동이라고 단정할 수도 없습니다. ADHD 아동은 나이에 따라 각기 다른 모습을 보이기 때문입니다. 그러므로 ADHD를 진단할 때는 세심한 주의를 기울여야 하고, 진단자는 전문적인 지식과 경험이 있어야 합니다.

ADHD라고 해서 몹쓸 '정신병'에 걸린 것도 아니고, 신체적 장애와 같이 치명적인 뇌 결함이 있는 것도 아니므로 '내 아이가 ADHD 증상을 보인다'고 해서 너무 걱정할 필요는 없습니다. 인내심과 이해, 그리고 꾸준한 치료를 통해 얼마든지 나아질 수 있을 뿐 아니라 "내 아이가 다른 아이

들보다 더 많은 에너지와 열정 그리고 창조적인 기질을 가졌다.”고 생각할 수도 있기 때문입니다.

그러나 ADHD 진단 자체에 회의를 품거나 약물치료에 대한 부정적인 시각은 바람직하지 못합니다. 부모와 주위 사람들의 적극적인 지지와 관심, 그리고 아이의 잠재능력을 기를 수 있는 적절한 교육이 잘 맞아떨어지면 ADHD 아동이 훌륭한 사람으로 변모할 수도 있습니다.

그러한 예로 에디슨, 처칠, 레오나르도 다빈치는 어린 시절에 ADHD의 모습을 보였지만 위대한 학자, 정치가, 예술가가 되었습니다. 다만 전체 아동의 약 6%를 차지하는 ADHD 아동 모두가 위대한 또는 천재적인 ‘누구누구’가 되는 것은 아닙니다.

한 해 수천 건의 연구 결과로 ADHD 아동들을 이해하고 치료하기 위한 다양한 발전이 이뤄지고 있습니다. 약물치료를 하면 80% 정도가 분명하게 호전되어 집중력·기억력·학습능력이 전반적으로 좋아집니다. 또 과제에 대한 흥미와 동기가 강화되어 수행능력이 좋아지며, 주의 산만·과잉 행동·충동성은 감소되고, 부모님과 선생님 의견에 긍정적인 태도를 보입니다.

하지만 약물치료가 만병통치약은 아닙니다. 병에 대한 정확한 정보를 얻어서 아이를 잘 도와줄 수 있도록 하는 ‘ADHD 아동의 부모 교육’, 아동의 충동성을 감소시키고 자기조절 능력을 향상시키는 ‘인지 행동치료’, 기초적인 학습능력 향상을 위한 ‘학습치료’, ‘놀이치료’, ‘사회성치료’ 등이 병행되어야 합니다.

건강을 위해 밑줄 쫙~

ADHD 아동의 생활가이드

ADHD 아동들은 충동적이고 산만한 행동 때문에 야단이나 꾸중을 자주 듣고, 주변에서 '말 안 듣는 아이'나 '문제아'로 평가받기 쉽습니다. 또한 자기 스스로도 자신을 '나쁜 아이', '뭐든지 잘 못하는 아이'로 생각하게 되는데, 이런 일이 반복될수록 아이의 자신감이 떨어집니다.

주의력 결핍이나 충동성 때문에 또래에게 따돌림을 당하기도 하고, 학업성적이 부진하기 때문에 자신의 의사를 표현하거나 자신의 능력을 발휘할 수 있는 기회를 얻지 못하기도 합니다.

그러나 ADHD 아동들은 진흙 속의 진주와 같을 수도 있습니다. 흙을 잘 걷어내어 그들이 갖고 있는 장점과 잠재능력을 키우기 위해서는 부모는 물론 가족 구성원과 선생님을 포함한 어른들의 지지, 관심, 교육 및 치료적인 환경 조성이 필요합니다.

성인 ADHD

ADHD가 학령기에 발견된다면 12~20세 사이에 완치되는 경우가 많습니다. 그러나 전체 아동의 약 6%가 ADHD 증상을 보이는 현실에 비해 실제로 ADHD 치료를 받는 아동은 전체 ADHD 아동의 1%도 안 됩니다.

이는 ADHD 증상을 보이는 아동의 대부분이 치료나 보호를 받지 못한 상태에서 청소년기를 맞는다는 뜻입니다. 한 조사 결과에 의하면 ADHD

증상이 청소년기를 지나 성인기까지 지속되는 경우가 30~70%에 이른다고 합니다. 성인이 되면 ADHD의 대표적 증상인 과잉행동은 상당 부분 사라지고, 주의력결핍 부분만 남는 경우가 많습니다. ADHD가 대뇌의 전두전엽 부위의 발달과 관련이 있기 때문입니다.

ADHD가 성인기까지 지속되면 조직적이고 체계적인 계획을 세워 처리해야 하는 업무를 수행할 때 어려움을 겪고, 중요한 약속을 잊어버리거나 물건을 자주 잃어버리는 건망증이 문제가 됩니다. 그밖에 충동적 성향으로 인한 알코올 남용, 반사회적 인격장애, 가정불화, 무분별한 돈 관리, 범법행위, 잦은 직장 바꾸기, 직업 상실 등도 나타납니다.

성인 ADHD도 정확하게 진단할 수 있는 방법은 아직 없습니다. 그렇다고 본인이 "내가 ADHD 환자입니다."라고 말하며 병원을 찾아가는 사람도 없습니다. 대부분의 환자들은 우울한 기분, 심한 감정 기복, 건망증 등으로 병원 정신과에 의뢰되어 '자가설문지 선별검사'와 정신과 전문의와 면담하는 과정에서 성인 ADHD로 진단을 받게 됩니다. 그러므로 '내가 성인 ADHD가 아닐까?'하는 생각이 든다면 인터넷이나 책을 통해 혼자 판단하지 말고 정신과 전문의의 상담을 받고 치료 여부를 결정해야 합니다.

성인 ADHD는 약물치료를 통해 집중력이 좋아지고 생활이 안정될 수 있습니다. 또한 인지행동 요법을 통해 생각을 정리하고 체계적으로 관리하는 방법을 배울 수 있고, 감정조절 훈련을 통해 자신의 감정을 말로 표현하고 분노를 조절하는 방법을 배울 수 있습니다.

질병이나 부상으로 병원에
갔을 때 비싼 병원비 때문에 치료받
지 못하는 것을 방지할 목적으로 국민들
이 평소에 보험료를 내고 국민건강보험관리
공단이 이를 관리 운영하다가, 필요할 때 보험급
여를 제공함으로써 국민 상호 간에 위험을 분담하고
필요한 의료 서비스를 받을 수 있도록 하는 사회보장제도
중의 하나가 '국민건강보험'입니다.
　　우리나라의 국민건강보험제도는 세계적으로도 손꼽히
는 사회보장제도의 우수한 모델이지만 몇 가지 단점도
나타나고 있습니다. 그러나 대부분의 국민들에게
큰 혜택을 주는 제도라는 데에는 모든 사람들
이 동의하고 있습니다.

PART
12

건강검진의 허와 실

우리나라 건강보험의 역사

1960년대 초에 북한에서 "북조선 인민 노동자들은 아플 때마다 병원에 가서 치료를 받는데, 남조선 노동자들은 치료를 받지 못해서 죽어가고 있다."면서 체제 선전을 하자 박정희 정부에서 "북한에 질 수 없다."고 만든 것이 '의료보험법'과 나라에서 무상으로 교육시킨다는 '의무교육법'입니다.

두 법을 제정해놓기는 했지만, 경제적인 능력이 없어서 시행하지 못하다가 의료보험제도는 1977년부터 다음과 같이 시행되기 시작했습니다.

🐚 1977년 : 종업원 500인 이상의 사업장에 직장의료보험제도 실시

🐚 1979년 : 공무원, 사립학교 교직원, 종업원 300인 이상의 사업장으로 확대 실시

🐚 1988년 : 농어촌 지역의료보험제도 실시

🐚 1989년 : 도시 자영업자들을 대상으로 지역의료보험 확대 실시

　　　　　» 거의 모든 국민이 의료보험대상자가 되었습니다.

　　　　　» 작은 의료보험조합의 조합비가 바닥나면 조합원들은 의료보험 대상자 자격이 정지되는 일이 생겼습니다.

🐚 1998년 : 지역의료보험조합과 공무원·사립학교 교직원 의료보험조합을 국민의료보험 관리공단으로 통합하고, 의료보험을 건

강보험으로 개칭

☞ 2003년 : 지역건강보험의 재정과 공무원 · 사립학교 교직원 건강보험

조합의 재정이 통합됨으로써 사실상의 통합 완료

　》 가난한 사람들을 위하여 의사의 진료비를 낮게 책정하는

대신에 병원에서는 약을 직접 조제해주면서 약값을 부풀

려서 수지를 맞추기도 하였습니다.

　》 의약분업이 시행되고, 의사들이 제약회사로부터 약값 리

베이트를 받는 것이 폭로되면서 약값을 부풀리기가 불가

능해졌습니다.

　》 병원에서는 간호사와 일반 직원들의 수를 줄이고, 의사들

에게는 하루 수백 명의 환자를 진료하도록 강요하게 되었

습니다.

　》 건강보험이 적용되지 않는 검사나 치료는 값을 부풀려 받

는 부작용이 생겼습니다.

우리나라 건강보험제도의 특징

법률에 의해서 강제로 가입됩니다

본래 보험은 자신의 의사에 따라 가입해도 되고 가입하지 않아도 될 뿐만 아니라 가입했다가 중간에 탈퇴해도 됩니다.

그러나 우리나라의 국민건강보험은 국민건강보험법 제5조 제1항에 의해서 '국내에 거주하는 국민은 건강보험의 가입자 또는 피부양자'가 됩니다. 이 제도가 나쁘다는 것은 아니지만 "민주주의 사회에서 왜 나에게 하기 싫은 것을 강요하는가!"라고 반발한다면 대답하기 곤란할 것입니다.

개인의 소득 및 보유자산 실태를 기준으로 보험금이 부과됩니다

직장가입자는 보험료가 자신이 받는 급여의 몇 %로 정해져 있지만, 지역가입자는 재산과 자동차를 기준으로 보험료를 산정하기 때문에 지역가입자가 더 많은 보험료를 내야 하는 경우가 많습니다.

일부러 재산을 숨겨 놓은 사람에게는 보험금을 부담시키지 못하고, 피부양자로 취급할 수밖에 없습니다. 수십 억짜리 아파트에 살고 날마다 골프를 치러 다녀도 피부양자로 등록되면 보험료는 0원입니다.

재외동포도 입국해서 3개월만 건강보험료를 내면 내국인과 똑같은 혜택을 받을 수 있습니다. 다른 나라에 살다가 몸이 아프면 한국에 와서 치료를 받고 다시 돌아가버리면 내국인만 손해봅니다.

동일한 급여를 받습니다

일반 보험은 보험료를 많이 낸 사람이 더 좋은 혜택을 받습니다. 그런데 국민건강보험은 보험료를 더 많이 냈다고 해서 더 많은 급여^{치료}를 제공하지 않습니다. 결과적으로 부자나 기업들이 가난한 사람들의 보험료를 대신 내준 셈이 됩니다.

미국에서 오바마케어^{환자보호 및 부담적정 보험법}가 철폐되는 이유는 무엇일까요?

겉으로는 "기업과 개인의 자유를 침해하고 국가의 재정부담을 폭증시킨다."고 주장하지만 실은 돈을 많이 낸 사람이나 덜 낸 사람이나 혜택을 똑같이 받는다는 것은 있을 수 없다는 '미국인다운 생각' 때문이 아닌가요!

보험료를 강제 징수합니다

건강보험료는 사실상 세금 아닌 세금입니다. 법정기일 내에 보험료를 납부하지 않으면 국세체납 기준에 따라 징수절차가 시작됩니다.

국세청에서도 세금을 공평하게 거두기 힘드는데 하나의 보험회사가 세금을 어떻게 공평하게 거둘 수 있겠습니까?

국민건강보험의 신념

다음의 법률 조항은 "국민들의 권리를 제한하고 있다."는 측면보다는 "모든 병은 조기에 발견하여 조기에 치료하면 효과가 좋을 뿐 아니라 비용도 적게 든다."는 신념이 있기 때문이라고 보는 것이 타당합니다.

> **국민건강보험법 제52조(건강검진)** ① 공단은 가입자와 피부양자에 대하여 질병의 조기 발견과 그에 따른 요양급여를 하기 위하여 건강검진을 실시한다.
>
> **국민건강보험법 제53조(급여의 제한)** ① 공단은 보험급여를 받을 수 있는 사람이 다음 각 호의 어느 하나에 해당하면 보험급여를 하지 아니한다.
>
> 1. 고의 또는 중대한 과실로 인한 범죄행위에 그 원인이 있거나 고의로 사고를 일으킨 경우
> 2. 고의 또는 중대한 과실로 공단이나 요양기관의 요양에 관한 지시에 따르지 아니한 경우
> 3. 고의 또는 중대한 과실로 제55조에 따른 문서와 그 밖의 물건의 제출을 거부하거나 질문 또는 진단을 기피한 경우
> 4. 업무 또는 공무로 생긴 질병 · 부상 · 재해로 다른 법령에 따른 보험급여나 보상(報償) 또는 보상(補償)을 받게 되는 경우

사실 우리나라 국민의 '평균수명 증가속도'가 미국과 일본을 뛰어넘어 세계에서 가장 빨리 노화가 진행되는 나라가 된 것도 전 국민을 대상으로 국민건강보험이 실시되기 시작한 이후부터입니다.

그러므로 조기발견 · 조기치료에 대한 신념이 "옳다"고 결론을 내릴 수도 있지만, 이런저런 이유로 "그렇지 않다"고 하는 사람들도 있습니다.

조기진단·조기치료에 대한 부정적 시각

여기에서는 2018년 3월에 일본에서 출간된 곤도 마고또近藤誠와 와다 히데끼和田秀樹 공저『귀찮으면 받지 말라! 건강검진』의 내용 중 극히 일부를 소개합니다. 우리나라에도 비슷한 주장을 하는 의사나 건강 전문가가 있지만, 그분들의 주장은 대부분 특정한 목적을 갖고 하는 주장이기 때문에 가급적 인용하지 않으려고 노력하였습니다.

건강검진 때문에 손해를 봅니다

건강검진으로 인한 가장 분명한 손해는 방사선 피폭입니다. CT컴퓨터단층촬영을 하면 방사선에 피폭되어 암에 걸릴 위험이 커집니다. 영국에서 22세 미만의 CT촬영 경험이 있는 사람들을 조사한 결과 단 1회의 촬영만으로도 뇌종양이나 백혈병 발병률이 증가한다는 사실이 밝혀졌습니다.

오스트리아에서 미성년자들을 조사한 결과에서도 CT 촬영횟수가 1회 증가할 때마다 발암률이 16%씩 증가한 것으로 나타났습니다.

이것은 나이가 적은 미성년자들을 조사한 결과이므로 나이가 들면 CT 촬영을 해도 괜찮지 않을까요?

나이가 어릴수록 방사선에 피폭되는 효과가 강해진다고 주장하는 사람도 있습니다. 암은 유전자 변화로 인한 병입니다. 농약이나 방사선 같은 발암물질에 의해 정상세포의 유전자가 돌연변이를 일으키는데, 해가 갈수록 이 현상이 축적되다가 돌연변이를 일으킨 유전자가 일정 수준에 도달하면 암세포로 변합니다. 대부분 나이가 많을수록 암세포로 변하기 직전의 세포 수가 많기 때문에 단 한 번의 CT촬영으로도 암발생 가능성이 높아집니다.

미국과 유럽에서는 건강검진을 하지 않습니다

건강검진의 여러 검사들을 비교실험건강하다고 생각되는 많은 사람들을 두 집단으로 나눈 다음 한 집단은 검사를 하고, 다른 집단은 아무것도 하지 않고 방치해두었다가 나중에 다시 두 그룹을 비교해보는 실험해보면 검사 효과가 없을 뿐만 아니라, 오히려 사망자 수가 증가한다는 실험 결과가 있기 때문에 미국과 유럽에서는 건강검진을 하지 않습니다.

한때 미국과 유럽의 전문가와 행정기관도 건강한 사람을 대상으로 정기적인 검사를 하면 '좀 더 건강해지고, 수명이 연장될 것'이라는 생각을 가진 사람들이 있었습니다. 그래서 직장검진이나 신체검사에서 하는 각종 검사에 대한 비교실험을 14번총피검자 수는 18만 명했는데, "효과가 없다."는 결과가 나왔기 때문에 오늘날까지 직장검진이나 신체검사를 하지 않고 있습니다.

건강검진과 치료가 오히려 죽음을 앞당깁니다

핀란드에서는 심혈관질환으로 사망하는 환자의 수를 줄일 목적으로 40~55세의 건강한 남자 중 심혈관질환 위험인자를 가지고 있는 1,200명을 선발해서 실험을 하였습니다. 이때 한 집단은 의사가 대상자와 정기적으로 면담하면서 "살을 빼라!", "담배를 줄여라!" 등 지시도 하고, 검사치가 내려가지 않으면 약을 처방해주기도 하는 '의료개입집단'이고, 다른 집단은 내버려 두는 '방치집단'으로 나누었습니다.

다음은 실험 시작 후 15년 동안 사망자 수에 대한 그래프입니다. 이 그래프에 따르면 사망자 수가 방치집단 46명, 의료개입집단 67명으로 의료개입집단이 방치집단보다 더 많이 사망하였습니다. 즉 의사의 의료개입이 오히려 그 사람의 생명을 단축시킨 것입니다.

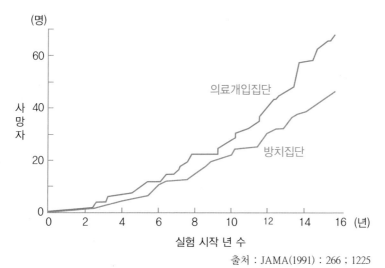

출처 : JAMA(1991) : 266 ; 1225

❖ 생활습관병에 의료가 개입한 집단과 방치한 집단의 사망자 비교

신약 개발을 위한 비교실험은 믿을 수 없습니다

신약 개발을 목적으로 하는 비교실험은 제약회사가 자금을 모두 출연하고, 제약회사 관계자가 연구에 가담하기 때문에 데이터 조작 가능성이 커서 결과를 믿기 어렵습니다.

검사나 치료의 효과가 없어도 의사들은 계속합니다

구미에서는 전립선암 · 유방암 · 대장암 · 자궁암의 검진이 사망자 수를 줄인다는 확실한 증거가 없는 상태에서 검진을 시작했는데, 나중에 검진이 "아무런 효과도 없다."는 사실이 밝혀진 후에도 계속해서 검진을 하고 있습니다.

병원을 찾아온 외래환자가 고혈압이나 고혈당치를 보이면 약을 먹게 만듭니다. 그러면 그 사람들은 약을 먹기 때문에 멀쩡한 사람이 환자로 둔갑합니다.

일본에서 수축기 혈압은 150~180, 확장기 혈압은 90~100인 70~85세의 노인 329명을 모집해서 심혈관질환에 걸릴 위험성이 많은 노인들을 모아서, 한 집단은 혈압약을 먹는 '강하제집단', 다른 집단은 가짜 약을 먹는 '플라세보집단'으로 나누어 비교실험을 했습니다.

약 2년의 실험기간 중 암에 걸린 사람은 플라세보집단 2명, 강하제집단 9명으로 강하제집단이 플라세보집단보다 더 많았습니다.

일본의 또 다른 비교실험에서는 65~85세의 대상자 4,400명 모두가 고혈압약을 먹되, 반은 혈압을 140 미만으로 엄격하게 조절하는 '엄격집단', 나머지 반은 혈압을 140~160으로 느슨하게 조절하는 '느슨집단'으로 나누었습니다.

2년의 관찰 기간 동안 사망자는 느슨집단 42명, 엄격집단 54명으로 엄격집단이 느슨집단보다 더 많았습니다. 그러면 혈압조절 목표치를 고쳐야 할텐데 고치지 않고 있습니다.

약으로 혈압이나 혈당수치를 내리면……

혈압이나 혈당수치가 높다고 약을 먹어서 낮추면 몸의 컨디션이 이상해집니다. 예전에는 노인들에게만 나타나는 현상인 줄 알았는데, 지금은 젊은 사람도 마찬가지라는 사실을 알게 되었습니다.

약으로 혈압이나 혈당수치를 정상수준으로 낮추면 몸이 떨려서 잘 넘어진다고 합니다. 일본 노동후생성에서 "75세 이상 노인들에게는 항암제의 수명 연장 효과가 의심스럽다."고 발표했지만, 75세 미만에게도 똑같을 것입니다.

사람은 나이를 먹으면서 초등학교를 졸업할 무렵부터 혈관이 조금씩 굳어지고 경화되고 가늘어집니다. 그러면 뇌에 필요한 영양분과 산소를 충분히 공급할 수 없기 때문에 심장이 더 열심히 일을 해서 혈압을 올려서 영양분과 산소를 공급할 수 있도록 만듭니다.

그런데 심장이 기껏 올려놓은 혈압을 약으로 낮추어버리면 어떻게 될까요? 당연히 뇌에 공급되는 영양분과 산소가 부족하게 됩니다. 그러면 기억력과 판단력이 저하되고, 기력이 쇠해지며, 뼈도 잘 부러지게 됩니다.

결론

앞에서 밝혔듯이 '조기진단·조기치료에 대한 부정적인 시각'에서는 「귀찮으면 받지마라! 건강검진」의 내용 중 필자가 생각하기에 가장 그럴듯한 부분만 소개했습니다.

필자가 의사라면 '건강검진의 허와 실'을 쓰고 싶어도 못 쓰거나 안 썼을지도 모릅니다. 그러나 필자는 "건강검진을 받아서 오히려 건강을 망친 사람도 있고, 건강검진 무용론을 주장하는 의사 또는 건강 전문가도 있다."는 사실을 일반인에게 알릴 필요가 있다고 생각합니다.

연명치료를 거부하고 존엄사할 수 있는 환자의 권리를 법적으로 인정해 주는 나라가 점차 증가하고 있듯이 "건강검진을 받았다가 오진으로 마음고생할 가능성도 있다."는 이유로 건강검진을 받지 않을 권리도 있어야 한다고 생각합니다.

그러나 필자의 결론은 '조기진단·조기치료는 부작용보다는 이득이 훨씬 많은 신념국민건강보험의 신념'이라는 것입니다.